JN077635

身の程を弁えず尊大になる

大正期と昭和戦前期

30年

蘇る言論圧殺の悪夢

横田 喬 著
元朝日新聞社会部記者

同時代社

まえがき

まともな人間なら、やってはいけないことは弁(わきま)えているはず。

昨年十月二日、六人の学者の日本学術会議会員への任命を菅首相が拒んだのを知った時、私の胸に強い怒りが湧き上がった。私も表現者の端くれ。「表現の自由」が侵されている、と直感し、我がこととして捉えたからである。

反射的に、戦前に起きた「滝川事件」を連想した。本書の第六章「治安維持法と特高警察」の第三節に詳しい経緯は記してある。

滝川幸辰京大教授（刑法担当）の著書を発禁処分にし、同調者もろとも大学から追放した一件だ。反共右翼学者が「アカ」と攻撃し、文部省が同調した。滝川は社会主義者でもなんでもなく、思想がいくらか自由主義的だったに過ぎなかろう。

この後、天皇機関説（美濃部達吉）事件～矢内原（忠雄）事件～河合（栄治郎）事件と立て続けに学問圧迫事件が起きる。学者たちは貝のように口を閉ざし、時局便乗派が勢力を得て大学自体の右傾化が進んでいった。いみじくも今回の日本学術会議問題の場合も、菅首相の背後に杉田和博官房副長官なる元公安警察官僚が黒子として控えていることが明らかになっている。

本書の第一章では、菅政権に忌避された学者の方々の実像を私なりに捉えるべく努めた。第二章以降には、月刊宗教誌『大法輪』（二〇一五年秋～翌年夏）に連載した全十一回の読み物『夜郎自大の30年』の内容をそっくり収録している。夜郎自大には「身の程を弁えず尊大になる」、三十年には「大正期と昭和戦前期」とそれぞれ振り仮名が振ってある。

私がこの連載に取り組んだ当時の安倍政権は国民の間に広がる反対を押し切り、集団的自衛権の行使に道を開く安全保障関連法制を成立させたり、改憲発議要件を国会議員の三分の二から過半数に改めようとする動きを見せていた。私なりに強い危機感を覚え、戦前（大正期と昭和戦前期）の歴史を振り返ってみよう、と思い立ってのことだった。

日本人の多くは自分の国の近代史をよく知らない。学校で十分に教わらないからだが、そのため、「中国や韓国との歴史認識をめぐる確執」と言われてもピンとこない。そうした向きに、少しでもお役に立てれば、と心から願う。

私の大学時代の恩師で、かのノーベル賞文学者・大江健三郎さんの恩師でもあるフランス文学者（東大名誉教授）・渡辺一夫先生は「戦中日記」の一節にこう記している。

——知識人の弱さ、あるいは卑劣は致命的であった。日本に真の知識人は存在しないと思わせる。知識人は、考える自由と思想の完全性を守るために、強く、かつ勇敢でなければならない。

私は既に八十代半ばの身で、昨秋、『反骨のＤＮＡ——時代を映す人物記』（同時代社）と題する一書を著したばかりだ。安倍政権の「森友」「加計」「桜」など一連の不祥事に我慢がならず、一矢を報いたい一心からだった。菅政権はその安倍政権の延長線上にあり、むしろより程度が悪い、と思えてならない。若い人たちに対し、声を大に言いたい。政治に無関心なままでいると、とんでもない未来を迎えるかも知れないよ、と。

二〇二一年新春

横田　喬

夜郎自大の30年——蘇る言論圧殺の悪夢／目次

第十二章　三国同盟と対米関係の破局

第一部　昭和戦前期と現代の空気感の相似

第一章　歴史は繰り返す——学術会議任命問題の重大性

菅首相は昨秋、国会の質疑で「（削除された六人は）加藤陽子先生以外はお名前も存じ上げなかった」と言い放った。いやはや、なんとも無責任なひどい答弁だが、懐刀の元公安警察官僚・杉田和博官房副長官に当否の吟味を丸投げしていた実態が図らずも浮かび上がった。

では、当の六人の学者の実像は一体どうなのか。新聞やテレビの報道だけでは、今いちはっきりしない。ならば、自分で直に吟味してみるほかない。六人全部は到底無理だから、私がまあ得手とする人文系にしぼり、首相が名前を挙げた加藤東大教授（日本近代史）並びに政治思想史が専門の宇野重規東大教授を対象に選んだ。それぞれの主著を手がかりに、二人がなぜ忌避されたのかを私なりに探ってみた。

第一節　加藤陽子教授の主著を読む

加藤陽子教授が二〇一五年に小林秀雄賞を受けた主著『それでも、日本人は「戦争を選んだ」』（新潮文庫）は五百頁近い大冊だ。内容は、教授が神奈川県鎌倉市にある私立・栄光学園の「歴史研究部」の高校生らに対し五日間にわたって行った集中講義が基になっている。

同書の構成は、序章「日本近現代史を考える」に始まり、1章「日清戦争」・2章「日露戦争」・3章「第一次世界大戦」・4章「満州事変と日中戦争」・5章「太平洋戦争」。一九世紀末（明治後半）から二〇世紀前半（昭和戦前期）にかけてのほぼ半世紀の間に、日本は大きな戦争を五回も経験している。日本の近代を語るには、時々の戦争を抜きには論じられないのだ。

まず、序章での「三十年代の日本と現代アメリカの相似」に対する指摘に共感した。日中戦争勃発後の一九三九（昭和一四）年、当時の軍部は「今次事変は戦争に非ず、膺懲の討匪行動。かかる軍事行動は国際慣例の認むる所」と主張。中国側（国府軍）を対等の相手として認めない態度をとった。日清戦争に勝利して以来の中国軽侮の念の端的な表われだろう。

そして、現代アメリカ。二〇〇三年、ブッシュ政権のアメリカが主導するイラク戦争は一方的に終始し、フセイン政権が武力で打倒される。前々年、イスラム過激派の同時多発テロ攻撃によりアメリカは三千人近い犠牲者を出した。加藤教授は、アメリカの軍事行動を「相手側の不法行為（実際はイスラム過激派とイラクは別物なのだが）に対する膺懲（討匪行動）」と捉えたのだろう。なかなかの卓見で、勇気ある指摘だ、と感心する。

さて、時々の日本の戦争を論じるには、膨大なディテールを語らねばならない。巻末に載る参考文献は約六十点。内外の重要人物の当時の発言や手記すなわち一次史料をふんだんに駆使していて具体性・真実性に富み、なかなか説得力がある。

例えば、旧朝鮮軍司令官だった陸軍大将・宇都宮太郎（平和主義者だった政治家・故宇都宮徳馬氏の父）の日記の引用。三章「第一次世界大戦　日本が抱いた主観的挫折」の中の

加藤陽子氏（提供：朝日新聞社）

「三・一独立運動」の項に出てくる。その日記は、数千から一万人以上の朝鮮人群衆が「独立の宣言書を撒布し、独立万歳を叫びつつ街路を練り」歩くさまを描く。彼は独立運動の要因を、日本が「無理に強行したる併合」に求め、併合後の朝鮮人への有形無形の差別に起因する、と率直に記している。

驚くのは、日本軍が「三・一運動」の鎮圧に際して行った残虐行為の詳細な記述だ。日記には「堤岩里事件」の顚末が記され、この事件の真相について本国政府に対しどう弁明するか、どこまで真相を隠すか、出先の朝鮮総督府と朝鮮軍司令部の間で調整していた事実が明らかにされている。

この事件の概要はこうだ。

――一九（大正八）年四月十五日、朝鮮の水原郡の堤岩里という村で、同地方の警備に赴いた軍の警察が「同村の耶蘇教徒、天道教徒三十余名、耶蘇教会堂内に集め、二、三問答の末三十二名を殺し、同教会並に民家二十余戸を焼棄」てる行為を働く。

独立運動に関わったと推定される村人たちを教会に閉じ込めて尋問したが、みんな口を割らない。あるいは事件とは無関係だったのかも知れない。しかし、軍警察は全員を銃剣で刺し殺し、教会ごと焼いてしまう。村人たちは抵抗しなかったし、武器も持っていなかった。朝鮮軍と朝鮮総督府は、この事件は絶対に内外で問題となるから、虐殺や放火はなかったことにし、ただ鎮圧の仕方に問題があったということにしよう、との口裏合わせが為されたことがこの日記からうかがえる。

右派系の論者たちはよく「自虐史観」とか言うが、これは陸軍の出先のトップが記した歴史的事実

『それでも、日本人は「戦争を選んだ」』

であり、疑いようがない。韓国と安倍政権は「慰安婦問題」や「元徴用工への賠償問題」などで関係が極めて悪化した。それだけに、軍国日本の韓国に対する旧悪を具体的な史料を基に暴露する記述は許し難かったのではないか。

「三・一運動」については、私も本書の第七章『「国恥記念日」と「建国の原点」』の第三節で一応は触れている。だが、私の記述は世界史の教科書的な概説書に頼っており、加藤教授の迫力ある論述には到底及ばない。

加藤教授は歴史上の人物にまつわる面白いエピソードを引き合いに、世界史の歩みをうまく説くのもお手のものだ。4章「満州事変と日中戦争」——（副題）「日本切腹、中国介錯（かいしゃく）」がそれ。副題のこの文句を口にしたのは、日中戦争当時の中国のアメリカ大使・胡適（文学者）だ。彼はこう考えた。満州事変や日本の華北分離工作（「満州国」建設を指す）などに際し、米国やソ連は傍観するだけで介入しようとはしない。土俵の中に引き込むにはどうすればいいか。米ソを巻き込むには、中国が日本との戦争を先ずは正面から引き受けて、二、三年間、負け続けることだ。

その考えは、具体的にはこうなる。

——中国は絶大な犠牲を決心すべきだ。中国沿岸の港湾や長江下流域は日本軍が占領〜

河北・山東・河南など諸省は陥落～長江が封鎖されて財政が崩壊し、天津・上海も占領される。が、そのためには日本は陸・海軍を大動員せねばならず、欧米と直接に衝突しなければならない。満州駐在の日本軍が移動したりすれば、ソ連が好機到来と判断する。世界中が中国に同情し、居留民保護と利益を守ろうと英米は軍艦を派遣せざるを得なくなる。

実際には、胡適のこの論は同じ国民党の先達・蒋介石や汪兆銘から「君は未だ若い」と抑えられてしまう。胡適の所論の結語はこうだ。

——以上のような状況に至って初めて太平洋での世界戦争の実現を促進できる。我々は三、四年の間は他国参戦なしの苦戦を覚悟しなければならない。日本の武士は切腹を自殺の方法とするが、その実行には介錯人が必要である。今日、日本は全民族切腹の道を歩いている。右記の戦略は「日本切腹、中国介錯」の八文字にまとめられよう。

「(己の) 肉を切らせて、(相手の) 骨を断つ」さながら。いやあ、なんとも凄い筋書きだ。いかにも大陸的なスケールの大きさには、「参りました」と脱帽するほかない。実際に、歴史の歩みは大筋ではほぼ胡適の目論見通りに進展した、と言ってもよかろう。

少し解説しておくと、蒋介石をトップとする国民党のナンバー2が汪兆銘（文人・国民党元副総裁）で、中国革命に際し孫文の側近として活動した人物だ。彼は一般的には、日本の謀略に乗って蔣介石を裏切り、三八年末にベトナムへ脱出～後に南京に日本側の傀儡政権を作った人物とされている。

汪兆銘は三五年の時点で胡適と論争している。「君の言うことはよく分かる。けれども、そのように三年、四年にわたる戦争をやっている間に、中国はソビエト化してしまう」と反論する。この汪兆銘の怖れ、将来予測も見事に当たっている。日本敗戦から四年後の四九（昭和二四）年、中華人民共和国が成立し、実際に中国はソビエト化してしまう。

汪兆銘はそれを見透かしたかのように、胡適の主張する「日本切腹、中国介錯」論ではダメだと言い、日本と妥協する道を選ぶ。ちなみに、汪兆銘の夫人はなかなかの豪傑で、汪兆銘が漢奸（中国人の敵）だと批判された時、こう反論した、とされる。

――蔣介石は英米を選んだ。毛沢東はソ連を選んだ。私の夫・汪兆銘は日本を選んだ。そこにどのような違いがあるのか

うれしいことに、加藤教授は戦前日本が生んだ稀有の反戦軍人・水野広徳の存在に注目している。5章「太平洋戦争」の項で、「日本は戦争をやる資格のない国」と小見出しを掲げ、水野の人物像やその所論について三頁ほど触れている。私は本書の第二～三章でよ

り詳しく彼のことを紹介しているが、反戦論者として高く評価している点では共通する。この人は同志だという思いが湧き、この著作への共感がより一層強まった。

巻末の辺りで「戦死者の死に場所を教えられない国」と小見出しを掲げ、加藤教授はこう記す。

――四四年から敗戦までの一年半の間に、（全体のうちの）九割の戦死者を出し、その人たちは（ニューギニアなど）遠い戦場で亡くなった。日本という国は遺族に兵士たちの死に場所も教えられない国だった。

粛然となり、思わず居住まいを正したくなる。こうした筆致が「反戦～反体制」と現政権には映り、忌避される結果につながるのか、とも感じる。

だが、改めて考え込む。この書物は日本を中心に据え、近～現代の激動する歴史をふんだんな史料を基に的確に記述している。加藤教授は自民党政権の方針に異を唱えるような表立った活動は特にしていない。人選から除外した理由は、杉田官房副長官に直接問い糺してみるほかない。

加藤教授は昨年十月二十三日、日本外国特派員協会の求めに応じ、任命拒否問題に関してこんなメッセージを寄せた。

――法解釈の変更なしには行えない違法な決定を菅総理がなぜ行ったのか、意思決定の背景を説明できる決裁文書があるのか、政府側に尋ねてみたい。日本は人文・社会科学も融合した総合知を掲げざるを得ない状況を迎えている。政府側の意向に従順ではない人々を切っておく事態が進行したのだ、と思う。

第二節　宇野重規教授の主著を読む

吟味する二人目は宇野重規東大社会科学研究所教授（政治思想史・政治哲学）。〇七（平成一九）年刊行の著書『トクヴィル――平等と不平等の理論家』（講談社刊）はサントリー学芸賞を受けている。文庫版で二百二十頁余りの同書は、①青年トクヴィル、アメリカに旅立つ②平等と不平等の理論家③トクヴィルの見たアメリカ④「デモクラシー」の自己変革能力、という四章から成る。

トクヴィルは一九世紀のフランスの思想家で『アメリカのデモクラシー』の著者。現代の米国の政治家が最も好んで引用する本の一冊で、第二次大戦後の歴代大統領は例外なく演説に一節を引いた。クリントンは特に愛好し、オバマはトクヴィルの研究者に師事している。

トクヴィルは二十代半ばのころ訪米し、九カ月滞在した。デモクラシーの発展こそが歴史を貫く根本的な趨勢だと考え、米国の政治や社会にデモクラシーがいかなる姿で現れているかを具体的に探った。その観察は制度の考察から出発し、社会を実際に動かす結社（政党をはじめ今で言うＮＧＯやＮＰＯなども）や言論活動そして芸術や哲学にまで及ぶ。最終的には米国人の「way of life（生き方）」までを視野に入れ、デモクラシーを包括的に捉え、文明論として論じた。

民主主義の本質は人々が自ら統治をおこなっていることにある。米国では本当に「（エリートではない）ごく普通の人々が自ら統治を行なっている」点に彼は感動する。民主主義とは、一般市民によるコミュニティの自治がまず基層にあり、その上に地域の統治（タウンシップ）が、さらにより広域における統治（州〜連邦）が広がる。原則的には各市民が自らに関する利害について判断し、社会的に共有する諸利害については平等な相互調整によって決定を行う。彼はこうした仕組みを近代政治学の傑作として評価した。

宇野重規氏（提供：朝日新聞社）

　こういう米国政治の在り方を広く多くの国々にとっても可能な民主主義のモデル、と彼は見なす。歴史の趨勢として、人々を差別してきた制度や習慣がやがて一つ一つ破壊されてゆくことを確信し、そんな流れをも指して「デモクラシー」と彼は呼ぶ。紆余曲折が多少あろうと、絶えざる異議申し立てによってデモクラシーが進んでいく、と考えたのだ。

　デモクラシーの社会では、人々は全てを自分自身で判断したいと願う。伝統的な思考の権威や拘束力が弱まっていく結果、人々は否応なく自分で考えるしかなくなる。平等化が進んだ社会では長老的人物が見当たらず、誰もが自分と同じ人間に見えてくる。一人一人は特別な権威を持ちえないが、己と同等の他人がいっぱい集まって「巨大な全体」とイメージされた時、人はその権威に容易に抗うことができなくなる。

　個人は他の個人と同等であり、自分はその他大勢の一人に過ぎない。みな同じだからこそ、人々は公衆の判断にほとんど無限の信用を置く。誰もが似たような知識水準である以上、真理が最大多数の側に無いとは思えないからだ。トクヴィルはこのような多数者の圧倒的な知的影響力およびそのことによる少数者への圧迫を指して「多数の暴政」と呼び、「デモクラシーの社会における最大の問題の一つ」と見なした。

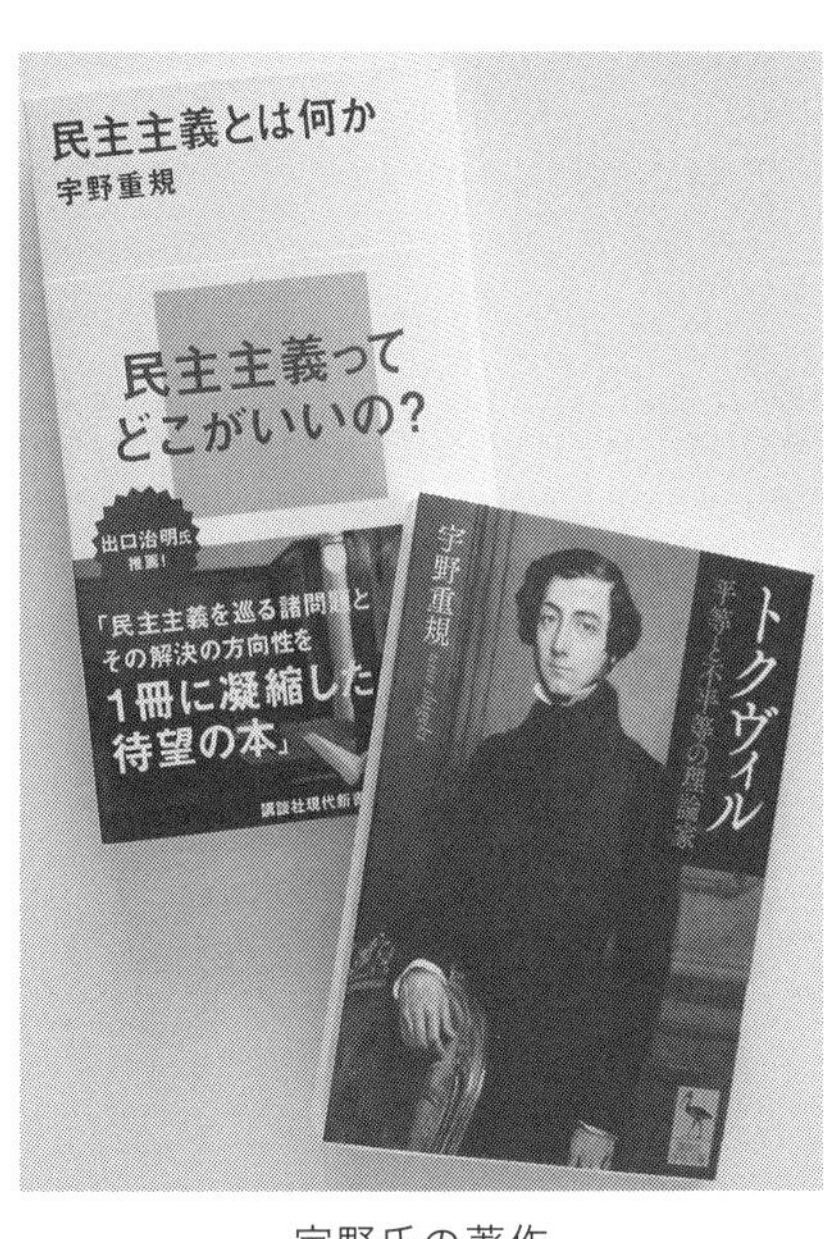

宇野氏の著作

　彼はまた「多数の暴政」と区別して、「民主的専制」をも問題にしている。詳しい説明は省くが、脛（すね）に傷を持つ自民党政権は「暴政」「専制」という字句に思い当たるところがあり、過剰反応したのではないか。「森友」「加計」「桜を見る会」など一連の不祥事に対する対処の仕方は「暴政」「専制」以外の何物でもないから。菅首相の懐刀・杉田官房副長官は宇野教授の学識が煙たく、学術会議からの除外を思い立ったのでは、という気がしてくる。

なお、トクヴィルはこう予言している。

――平等化が進んだ社会においても、不平等は残る。だが、それは不平等を当然とした社会における不平等とは全く意味を異にする。不平等はもはや自明視されず、次々に異議申し立てを受けるだろう。そして、そのような異議申し立てによって、今後の歴史のダイナミズムが決定されていくことになるだろう。

宇野教授は昨年十月、『民主主義とは何か』（講談社刊）という著書も出している。本のカバー裏面に「今や危機に瀕した民主主義、まだ可能性はあるのか？　過去をたどり未来への答えを導く！」とアピール。過去の要約五項目と今後への設問三項目を掲げている。

過去の要約はこうだ。

＊プラトンは、多数者の決定だから正しいとは限らないと批判した

＊アメリカ合衆国憲法は妥協の産物として生まれたのか？

＊トクヴィルが見出した民主主義の力とは？

＊「人々が自由であるためには、選挙以上の何が必要なのか？」というルソーが残した謎
＊「ビスマルクの政治的遺産」を指摘したウェーバー。有能なリーダーに頼ったからこそ、ナチスが生まれた？

そして、今後への設問をこう掲げる。

＊生活の糧のために政治家となる人の増加にどう対処すべきか？
＊人々が本当に政治に参加するとはどういうことなのか？
＊富と資本の集中を止めることができるのか？

宇野教授はまず民主主義は現在、様々な危機に直面している、と説く。とりわけ、ポピュリズムの台頭と独裁的指導者の増加という世界的な潮流は民主主義を根底から覆しかねない。なぜ世界中でこのような現象が起こっているのか？　民主主義はいわば「瀕死状態」にあり、「苦境をもう乗り越えられないのでは」「もはや民主主義の時代は終わったのでは」との懸念さえ耳にする。しかし、民主主義は過去に何度も危機を乗り越えてきた。というより、常に試練にさらされ苦悶し、それでも死なずにきたというのが現実に近い、と彼は説く。

ポピュリズムは二〇一六年に世界的な話題になる。議会主義の祖国イギリスで、ＥＵからの離脱を国民投票で決定する。中高年白人労働者層を中核とする「置き去りにされた人々」の不満が背景にあり、「ＥＵ離脱により、英国の自己決定権を取り戻し、主権を回復する」との訴えが効いた。米国ではトランプ大統領の「Make America great again!」のアピールが功を奏する。民主主義の本家・英米両国でポピュリズムが起き、現代は民主化の「第三の波」の反動期と言えよう。民主主義への根本的懐疑「チャイナ・モデル」は東南アジア・中東・アフリカなどで「独裁的リーダー」に魅力的に映っているのでは、とも指摘する。

二〇二〇年のコロナ危機でも、民主的な政治プロセスには時間がかかる。迅速な決定には独裁的国家の方が好都合で、トップダウンが効く。そうした中で、民主主義の力によって「格差を縮小し、平等を確保できるのか」「人と政治をつなぐ新たな回路を見出すことは可能か」が問われている、と宇野教授は説く。

なお、文化功労者で防衛大学校校長を長らく務めた五百旗頭真氏（京大出身、政治学・歴史学専攻）は昨年十月、ＢＳ・ＴＢＳの報道番組にゲストとして出演。学術会議任命拒否問題への見解を問われ、「加藤陽子・宇野重規両氏の学問的業績はよく承知している。

なぜ拒否されたのか」と首を傾げていた。もし、杉田官房副長官の一存で評価が決まったとするなら、はなはだ不遜だし、それこそ偏向していよう。

宇野氏は二〇二〇年十月、日本外国特派員協会の求めに応じ、任命拒否問題についてこうメッセージを寄せている。

――内閣によって日本学術会議会員に任命されなかったことについては特に申し上げることはない。民主的社会を支える基盤は多様な言論活動だ。民主的社会の最大の強みは、批判に開かれ、常に自らを修正していく能力にある。その能力がこれからも鍛えられ、発展していくことを確信している。

第三節　他の四教授の横顔と主張

加藤・宇野両氏以外の任命拒否をされた四氏の横顔を簡略に紹介する。

▽芦名定道（京大教授・キリスト教学）：「安全保障関連法に反対する学者の会」や安保法

制に反対する「自由と平和のための京大有志の会」の賛同者。
▽岡田正則（早大大学院法務研究科教授・行政法）：「安全保障関連法案の廃止を求める早大有志の会」の呼びかけ人。沖縄県辺野古の米軍新基地建設問題を巡って一八年、政府の対応に抗議する声明を発表。
▽小沢隆一（東京慈恵医大教授・憲法学）：「安全保障関連法に反対する学者の会」の賛同者。安保関連法について、一五年七月、衆院特別委の中央公聴会で野党推薦の公述人として出席し、廃案を求めた。
▽松宮孝明（立命館大大学院法務研究科教授・刑事法）：犯罪を計画段階から処罰する「共謀罪」法案について、一七年六月、衆院法務委員会の参考人質疑で「戦後最悪の治安立法となる」などと批判した。

以上の四人の中で岡田教授は昨年十月三十日の国会質疑を傍聴し、朝日新聞にこうコメントを寄せている。

——菅首相はしどろもどろ。私大所属の会員が「二四％にとどまっている」と述べたが、任命拒否の六人の半分が私大。口にする「多様性」に逆行している。

同日の質疑で菅首相は「現在の会員は旧帝大の七つの国立大所属の会員が四五%を占める」と東大などの有力国立大に矛先を向けた。だが、今回任命拒否された六人中三人は私立大の所属であり、明白な論理矛盾だという指摘だ。

さらに岡田教授は、こうも述べる。

――一九八三年の「政府が行うのは形式的任命」という政府答弁を覆すのは国会への冒涜。それまで存在しなかった法解釈の文書を二年前に突然作って内閣法制局に確認させながら、「政府としての一貫した考え」という虚偽のストーリーを作っている。

国会質疑を通じ、首相は百五人の名簿を見ていないことを認め、任命を拒んだ六人中五人は名前も知らず、著作などを読んだこともなかったと述べた。驚くべき無責任さの白状であり、安倍前政権時代から学術会議の人事への介入を指摘されている杉田和博官房副長官の関与の疑いが一層強まった。だが、自民党は野党側からの国会への出席要求を一貫して拒んでいる。

この問題は海外メディアの強い関心を呼び、昨年十月二十三日に東京・丸の内の日本外国特派員協会で記者会見が開かれた。岡田正則・松宮孝明両教授が出席。芦名定道・小沢隆一両教授はオンラインで参加し、宇野重規・加藤陽子両教授はメッセージを寄せた。芦名・岡田・小沢・松宮の四氏の発言内容の要旨はこうだ。

芦名定道氏：政府が推進したい大学における軍事研究に対し、学術会議は明確に反対する声明を出した。そこが問題になったのだろう。問われているのは、科学技術の在り方に政府が介入、コントロールしようとしていること。それをよく考え、どう対応するのか、多くの方々と考えていきたい。

岡田正則氏：会員の適否を政治権力が決められるとなれば、日本学術会議の独立性は破壊される。学問の自由の制度的枠組みの破壊だ。国民が学術会議法を通じ、選定・罷免権を委ねるのは学術会議であり、総理大臣ではない。菅首相はこの違憲・違法状態を速やかに解消すべきだ。

小沢隆一氏：かつて科学は政治に従属して戦争に突入した。この苦い教訓を踏まえ、学術会議は憲法が定める学問の自由の保障を受けて設立された。学術会議は、政治権力に左右されない独立した活動で、政府と社会に政策提言をすることが職務だ。任命拒否は、その目的と職務を妨げる。

松宮孝明氏：菅首相が六人を落としたことは法に違反し、罪だ。だが、官邸は憲法一五条の「公務員の選定罷免権」を基に合法である、としている。ヒトラーですら、全権を掌握するためには特別な法律を必要とした。憲法を読み替えて独裁者になろうとしているのか、というくらい恐ろしいことだ。

自民党は首相への援護射撃のように、学術会議の在り方論へのすり替えに躍起だ。「税金を使いながら、まともに活動していない」「税投入は日本だけ」「中国の国家事業に積極的に協力している」などなど。ネット上には、誤った情報を基に学術会議を批判し、外された学者を「アカ」呼ばわりして貶める投稿が相次ぐ。フェイクニュースをばらまき、人々を誤導～混乱させる罪は大きい。

実例を一つ。十月五日昼に放送されたフジテレビの情報番組での平井文夫上席解説委員の発言だ。「この（学術会議の）人たち、六年ここで働いたら、その後、学士院ってところに行って、年間二百五十万円年金もらえるんですよ、死ぬまで。皆さんの税金から」

スタジオから「えーっ」と嘆声が上がり、出演者が口を開けて驚く表情が画面に映された。だが、これは真っ赤なウソ。学士院会員百三十人のうち学術会議出身は三十数人に止まる。学士院は終身制で、会員が死亡しない限り補充されない決まり。院内の分科会と部会で三分の二以上の同意が必要な「狭き門」であるのが実情だ。

一般の人々はそんな実情には疎く、学術会議も学士院もちんぷんかん。「上席解説委員」がのたまう言葉は頭から信じてしまいがちだ。ネット上で「学者というのは特権階級。労せず大金をせしめて、けしからん」と反感が拡散していく。後刻、形式的にちょこっと訂正する位ではとても追っつかない。御用メディアの罪は事ほどさように大きい。

「はじめに」でも触れたが、本書の第六章「治安維持法と特高警察」の第三節を参照してほしい。一九三三（昭和八）年、「矯激なる思想を抱懐して民心を惑乱」する者があるからとして、衆院で「教育革新に関する決議」が成立。大学自治の慣行が無視され、滝川幸辰京大教授（刑法担当）が一方的に処分され、主要著書が発禁になる。

反共右翼系学者らが滝川を「アカ」と攻撃し、議会や文部省が追随した。文部省が挙げた根拠は薄弱で難癖に近い。この後、一連の学問圧迫事件が展開されていく。治安維持法による脅しで知識人や言論機関は「アカ」と指差されるのを恐れ、以後すっかり委縮してしまう。あげくが、軍部の言うがまま日中戦争～太平洋戦争に突入し、日本は破局を迎える。

前掲の岡田早大教授に戻る。周辺には早くも影響が出始めているといい、こう言う。

――ゼミの学生から「ツイッターなどで、いろんな人が絡んできている」と聞いた。私のことを中傷する嫌がらせですね。（「アカ」と）レッテルを張ることで学界や社会の中で私を孤立させようとしている。

そうした嘆かわしい目下の状況は義憤に堪えない。歴史は繰り返すと言うが、前車の轍（わだち）を踏んではなるまい。現代の日本国民は眼を十分に見開き、より賢明であってほしい。

第二章　もう一つの「坂の上の雲」

第一節　二人の文筆軍人が出現

伊予鉄道「松山市」駅のすぐそばにある臨済宗妙心寺派の古刹・正宗寺は、境内に建つ俳人・正岡子規の記念堂（文学資料館）で名高い。子規の親友・夏目漱石が小説『坊ちゃん』で「マッチ箱のような」と形容した「坊ちゃん列車」も脇にちゃんと控える。この境内の一角に松山生まれの反戦軍人・水野広徳の記念碑がひっそりと建ち、碑面はこう刻

司馬遼太郎（提供：朝日新聞社）

む。

――世にこびず　人におもねらず　我はわが　正しと思ふ　道を進まむ

水野が詠んだ短歌を旧制松山中学の後輩、安倍能成（元文相・学習院院長）の手跡で記し、碑の裏面に安倍や野村吉三郎（元海軍大将・外相）に片山哲（元社会党委員長・首相）ら顕彰賛助者六人が名を連ねる。この碑を建立したのは、水野と長年親交があった旧軍人出身の元大学教授（軍制史・法学博士）、松下芳男だ。

そして、松山市にある道後温泉の近くの墓地には、戦前この水野と同様に「文筆軍人」として名をはせた元陸軍少将・桜井忠温の墓所がある。ここには司馬遼太郎の代表作『坂の上の雲』の主人公として有名な元陸軍大将・秋山好古の霊も眠る。松山が舞台のこの作品では、陸軍騎兵の創設者・秋山好古とその弟で日本海海戦の名参謀・秋山真之、そして真之の親友の俳人・子規の三人が青雲の志を競い合う。

水野と桜井の両人は、家郷の先輩・秋山兄弟の後を追うごとく職業軍人を志し、かつ子規をはじめ河東碧梧洞（かわひがしへきごどう）や高浜虚子に内藤鳴雪らの松山人脈が示す文才もいかんなく発揮する。日露戦争への従軍体験を生々しく綴った桜井の戦記『肉弾』と水野の同じく『此一戦（このいっせん）』は共に空前のベストセラーとなり、二人の文名を高らかにした。それは、あたかも『坂の上の雲』別伝ともいえる趣をかもす。

水野より四つ齢下の桜井の方が文名では先行した。明治三十九年（一九〇六）、旅順要塞攻撃の際の生々しい体験をもとに桜井が書き下ろした『肉弾』は発売たちまち大反響を呼ぶ。一部を引くと、こうだ。

――暗に閃（ひらめ）く剣尖も次第に薄らぎ、黒山を築きつつ進んだ部下も今は余すところ数人となった。たちまちにして余は棍棒（こんぼう）をもて殴られたようで、バタリと四這（よつんばい）に倒れた。（中略）見れば、腕関節より砕けてブラリと垂れ下がり、血は止め度なく迸（ほとばし）り出ている。

――敵は機関銃を引き出して縦横無尽に撃ち放ち、敵も味方も諸倒れとなった。（中略）忽（たちま）ち余の軍刀は一響きして折れた。左手は貫かれたのである。

――倒れて復た起ち上がらん隙もなく一弾来って又右脚を摧た。（中略）心は狂えど、身はまた起つこと能わざるものとなった。

第一回総攻撃の先陣を切った桜井中尉はロシア軍が乱射する機関銃弾を浴びて手足が折れ砕け、三日間意識不明のまま生死の境をさまよう。松山の留守宅には戦死の公報が届いた。入院一年余、右手首の関節は失われ、右足を以後ずっと引きずるようになる。

桜井は旅順攻撃の総司令官・乃木大将とは不思議な縁に恵まれ、『肉弾』を最初に読んでもらい、明治天皇への異例の拝謁も斡旋してもらっている。この作品は日露戦争最前線の生々しいレポートとして国際的にも脚光を浴び、翻訳書が欧米八か国で出版されて一大ブームを呼ぶ。親日的だったアメリカのセオドア・ルーズベルト大統領から賞賛の手紙が届き、ドイツの皇帝カイゼルは「日本軍の真骨頂を学べ」と全軍に訳本を配った。国内では早大総長で憲政党内閣を率いる大隈重信や陸軍長州閥のリーダーで政友会総裁・首相を務めた陸軍大将・田中義一の知遇をえて、如才のない世渡りぶりを示す。

第二節　第一次大戦の惨禍の強い衝撃

桜井忠温が『肉弾』を著して五年後、海軍大尉・水野広徳が日本海海戦の実相を伝えようと『此一戦』を刊行する。水野は水雷艇艇長として旅順港封鎖作戦や日本海海戦などに出撃し、華々しい活躍ぶりで東郷司令長官の感状を得ている。同著の一節を引くと、

――敵の艦上に閃く砲火に至りては、高低参差波に映じて恰も満池の紅蓮一時に開く如く、大なるは火焔揺曳して、響天に轟き、小なるは石火瞬閃、声耳を劈く。（注：「参差」は「入り混じる」意）

いささか大仰にも響くが、躍動感に満ち、格調が高い。日露戦記ものの傑作として先行する『肉弾』に劣らぬベストセラーに輝き、水野もたちまち高名となる。執筆当時、水野は海軍軍令部の日本海海戦史編纂委員という恵まれた立場にいた。その有利さを生かし、世紀の大海戦の全体像をできるだけ正確かつ客観的に描くべく努めている。

水野と桜井は共に松山中学に学び、水野は海軍兵学校を、桜井は陸軍士官学校を卒業。

海軍大尉と陸軍中尉として日露戦争の最前線で働き、その戦記が売れに売れて有名人となる経緯は全くそっくりだ。だが、大過ない軍人的処世術を知っていた桜井とは異なり、生来の反骨を具える水野は日本ではごく稀な「反戦軍人」へ変身していく。

きっかけは大正三年（一九一四）に勃発し、四年四ヶ月も続いた第一次世界大戦である。世界三十ヶ国が参加し、死者を千二百万人も出し、四千億円もの巨費を消耗。人類が初めて味わう欧州を主舞台に未曾有の大惨禍を招いた国際的な大戦争だった。

海軍軍令部勤務の身の水野はこの大戦の実相を己の目で確かめようと念じ、上の許可を得て二回にわたり欧州への視察旅行に出る。費用は本の印税などでの自弁だった。二度目の訪欧視察は大戦が終結して四ヶ月後の大正八年春。ドイツ軍が四年間に五十万人の将兵を失ったフランス西部戦線の要石ベルダン要塞跡や激戦地ランスの惨状は酸鼻を極め、強烈な衝撃を受けた水野はこう記す。

――（ランスの）村落は壊滅、田園は荒廃、住民は離散し家畜は死滅。惨として生物を見ない。ただ目に入るのは枝も幹も打ち折れた坊主林、瓦石の間に僅かに残る人家の柱、アバタのように掘り穿（うが）たれた草原の弾孔である。掘り返された手前の塹壕（ざんごう）の中には戦死したドイツ兵が武装のまま白骨と化して横たわっている。

――ベルダン高地の頂上に立つと、人家は完全に破壊され、焼け折れた低木が棒杭の様に空を指す。全山すべて褐色と化し、孔のあいた鉄兜、こわれたガスマスク、水筒、銃器などが散乱。塹壕には人骨が生々しく転る。

そして、彼は胸中にわいた疑問を率直にぶつける。

――平時は人一人を殺すか傷つけるかすれば、社会の大事件として国家は大騒ぎをやるくせに、戦争という一語のためなら、この多数の殺人を行って良いのである。

水野は荒涼とした無人の草原に乱立する十字の墓標を前に、戦争の道徳価値と人間の生命価値との相互関係について考えこまずにいられなかった。次に訪れた敗戦国ドイツでは泥棒が横行し、売春婦や戦争孤児があふれ、天井知らずのインフレでストが頻発。一方、戦勝国のイギリスやフランス・イタリアも深刻な失業問題や生活難・労働不安に悩み、ごく一部の金持ち階級を例外に一般国民は戦前より決して幸せになってはいない（弱い一般国民からかけ替えのない尊い生命を奪いながら、強い一部国民からは有り余る富すら奪い得ぬ国家。それが最高の道徳と言えるのだろうか？）。

水野はこれまで無条件に信じこんでいた〈国家は最高の道徳なり〉というドイツ哲学流の国家観が根本的に覆るのを悟る。己の価値観や社会思想が大きく変わるのを自覚する。

なお、日本は第一次大戦には日英同盟を発動してドイツへ宣戦を布告。中国でのドイツの租借地・青島やドイツ領南洋諸島を武力で占領し、漁夫の利を収めた。戦争の旨味を感じる向きが多く、水野のような反戦意識は日本では普遍化しなかった。

第三節　平和主義の軍事評論家が誕生

水野は貧乏士族の家に生まれ、幼くして両親を失う不遇な環境で育った。生来弱者への同情心と強者への反抗心を具え、かつ〈自分は海軍の飯を食っているに非ず、国家の飯を食っているのだ〉という信念が強かった。従って、国家の利益に反すると確信すると、海軍の悪口さえ平気でずけずけ口にした。

二度目の欧州視察から戻った翌年、水野は『東京日日新聞』（現『毎日新聞』）に「軍人心理」と題する文章を寄稿する。その内容に政治的・反軍的な節があったとして三十日間の謹慎処分を受け、これを機に海軍大佐の職を自発的に退く。当の記事で、彼は「一般社

会のデモクラシー化傾向に軍隊社会も対応せねばならぬ」と説き、その一方法として
――陸海軍大学校の卒業徽章（きしょう）や参謀肩章の着用廃止など軍人のエリート主義志向の是正。
――日本人の嫌う軍閥の打破には軍人への参政権付与が最も近道。
などを挙げた。当時の陸海軍エリート層には、軍内の異分子によるけしからぬ暴論と映ったにちがいない。

この後、水野は平和主義を奉ずる社会運動家・軍事評論家として雑誌や新聞に健筆をふるう。たとえば、アメリカ相手の戦争は経済面で勝負にならず、ゆえに「日米戦うべからず」という的を射た論考である。あいにくあまり顧みられなかったが、その評論活動の詳細は当時の政治や社会の動きとからめて述べたいので紹介は次章へ譲る。

一方、桜井の方は陸軍主流の受けが良く、陸軍省新聞班長（後の情報部長）の要職をこなし、陸軍少将で退官。太平洋戦争中は戦争協力の一翼を担う文化奉公会副会長を務め、戦後は公職追放に。共に現役の軍人作家として名声を博した二人だが、中途で戦争反対と協力の逆方向へ別れ、対照的な人生を歩む。

私は水野と桜井の存在を『帝国軍人の反戦　水野広徳と桜井忠温』（木村久邇典著　朝

日新聞社刊）という書物で知った。著者の木村久邇典氏は私の『朝日新聞』在社当時からの知己で、署名本恵送に与かり、精読した因縁がある。齢がちょうど一回り上の彼は「学徒出陣」世代に属し、海軍予備学生上がりの海軍士官生活を敗戦間際に一年余り体験した。そんな経歴も与かって冒頭に述べた水野の顕彰碑の建立者・松下芳男に信頼され、水野からの貴重な書簡や諸資料の閲覧が可能になったという。ただ、表題の「帝国軍人の反戦」は水野広徳にはぴったりだが桜井忠温にはそぐわず、違和感が残るのは残念だ。

冒頭に述べた四国・松山との因縁に話を戻す。司馬遼太郎氏の大作『坂の上の雲』は、松山出身の秋山好古・真之兄弟を日露戦争の立役者に据え、苛烈な闘いの実相を探る。

――小国日本が大国ロシアに追い詰められた末のぎりぎりの防衛戦だった。

――米と絹しかない百姓国家の連中がきわどい勝利を拾ってゆき、奇跡を起こす。

と述べ、この戦争は薄氷を踏む思いでの紙一重の勝利だった、と断じる。『帝国軍人の反戦』を著した木村久邇典氏と同世代でやはり学徒出陣による痛切な従軍体験を持つ司馬さんは、こう述懐している。

――終戦を知った時、なんと愚かな国に生まれたことかと思った。昔はそうではなかったのではと思い、その疑問を自分で解き明かそうと仕事に取り組んだ。

司馬さんは太平洋戦争という信じがたい愚挙を起こした戦前日本の過ちについて、こう見立てている。

——なまじ日露戦争に勝ったばかりに夜郎自大（身のほどを弁えず尊大になる意）にうぬぼれ、近隣の国々を侮りだす。軍国主義一本槍で国家を丸ごと軍部が乗っ取ってしまい、破滅への道をひたすらたどった。

私は一時期、司馬さんと文通を交わした経緯があり、その真摯（しんし）なお人柄や国の将来を案じた真情をとくと承知している。

終戦の日の昭和二十年八月十五日、満十歳の私は国民学校四年生で愛国少年の端くれだった。担任の青年教師は太平洋戦争開戦まもなく海軍に応召し、乗り組む航空母艦がミッドウェー海戦で撃沈され、海上を漂流〜生還した経歴の持ち主。その教師が夏休みに入る直前、我々四年生男子（当時は男女別学）に対し、こう話した。

——日本の兵隊さんは勇敢で決して捕虜にならないが、重傷を負い人事不省になれば話は別だ。アメリカ軍は捕まえた瀕死（ひんし）の兵隊さんたちを鉄条網でぐるぐる巻きにして飛行場の滑走路に並べ、ブルドーザーで片っ端から轢き殺す。だから、鬼畜米英と言うんだ。

ほかならぬ戦場帰りの人物の言であり、頭から信じ込んだ私は子供心に「鬼畜」への敵愾心をひたすら募らせた。ところが敗戦後、当の教師は何食わぬ顔でさっさと民主教育へ衣替えをし、軍国主義の誤りと平和の大切さを実しやかに説いた。開業医で戦中は町内会長だった私の父親をはじめ周囲の大人たちの言動の豹変ぶりも大差なかった。日本人というのは当てにならない――それが私の実体験による感想だ。

怖いのは教育であり、歴史の真実を伝えない手抜きとぺてんである。日本の歴史教育は時系列で古代から順々に教えるから、明治維新あたりで往々時間切れを迎え、それ以降は駆け足で終わる。日本がなぜ無謀な太平洋戦争に突入し、自国や関係の国々に多大な戦禍をもたらしたのか？　その謎を解くには、日露戦争後の日本の歩み、おおむね大正期と昭和戦前期とのざっと三十年の政治や社会の在り方の検証が欠かせない。その作業は戦禍の酷さを肌で知る我々世代に課せられた使命だ、とさえ感じる。

第三章　日本の敗戦を予告した反戦軍人・水野広徳

第一節　「日米戦うべからず」の論旨

旅順総攻撃の凄惨なありさまを生々しく記す戦記文学の傑作『肉弾』、そして日本海海戦の全体像をリアルに伝える同種の『此一戦』。日露戦争を題材とする明治末期の両ベストセラーは、四国・松山出身の陸軍・桜井忠温と海軍・水野広徳という青年士官二人の手に成った。この松山は、司馬遼太郎氏の代表作『坂の上の雲』の主人公で日露戦争の立役

水野広徳（提供：朝日新聞社）

者たる秋山好古・真之兄弟、そして真之の親友だった俳人・正岡子規を生んでいる。文才に恵まれた陸・海の軍人、桜井と水野の登場はその土地柄にぴったりだ。

　水野広徳は秋山兄弟とは遠戚関係にあり、少年のころは使い走りで秋山家を度々訪ねている。そんな因縁もあって、水野は後年に秋山兄弟の伝記編纂に携わり、

――兄ハ将ニ将タルノ大器ヲ有スルモ、弟ハ何処マデモ帷幄ノ謀将ナリ。

と二人の人物評を日記に記している。弟の真之については、「彼ノ文章ニ至リテハ雄渾簡潔独特ノ風格ヲ有ス」と子規の親友だけはある文才に対してちゃんと敬意を払っている。

　同じく戦記作家として世に出た桜井と水野だが、第一次世界大戦を境に二人は進路を分

かつ。水野はフランスの激戦地跡などを訪ねて近代戦がもたらす破壊の惨状や民衆の嘆きを目撃し、軍国主義思想と決別。海軍大佐で退役し、平和思想家へ転身する。読書と執筆にもっぱら明け暮れ、憲政擁護で名高い尾崎咢堂（がくどう）らの軍縮運動に加わる。メンバーには民本主義を唱える学究・吉野作造や平和主義の論客・石橋湛山（たんざん）に硬骨の教育者・安倍能成らが名を連ねた。

水野が軍籍を去って三年後の一九二四（大正一三）年、日本の軍部は仮想敵国をロシアからアメリカへ変更する。彼は「新国防方針の解剖」と題する雑誌論文を発表し、こう論じた。

――当局者として発狂せざる限り、英米両国を同時に仮想敵国として国防方針を策立する如きことはあるまいと信ずる。

――海上より百台の飛行機を東京の上空に飛ばすことはさほどの難事ではない。強力な一発の爆弾は東洋一と称する丸ビルすらも粉砕することができるであろう。

憂国の至情から次の戦争における空軍の脅威を説き、内外の非常な反響を呼んだ。大正期の国防論の白眉と評され、軍事評論界における愛国的平和主義者として地歩を固める。

水野はまた予想される日米戦争の原因について、こう分析した。

――つまるところ、両国国民間の相互了解の欠乏に基づく疑心に外ならない。即ち両者の衝突に非ずして、むしろ感情の衝突に外ならない。両国国民の誤解に乗じ、両国の軍閥者や軍国主義者が善良にして無識なる国民に対し、相互に反抗的敵愾心とを扇動鼓吹することが益々両者の反目嫉視を助長するのである。

彼は作戦資材の詳しい対比表まで示し、日本には到底分がないとして「日米戦うべからず」の論旨を展開する。

日露戦争のころのアメリカは日本に同情的で、当時のセオドア・ルーズベルト大統領は親日的な立場から講和の仲介までした。だが、第一次大戦を機に空気は一変する。日本は欧米列強が戦火を交じえるすきに乗じ、対独参戦により中国の山東省青島と南洋諸島を易々と占領。どさくさまぎれに中国に対し旧満州などでの特権を迫る「二十一ヶ条要求」を突きつけ、強引に呑ます。中国進出の機会をうかがうアメリカでは日系移民による摩擦問題もからみ、反日感情が高まっていく。

第二節　軍備だけ強大にするのは危険

水野は同じく二四年に「軍部大臣解放論」と題する雑誌論文を発表している。陸海軍人が武官専任制を盾に駄々をこねるようでは、内閣の組織・維持は困難になる。

——軍略のために政略が犠牲になっては、国家に大害を生ずる。と説き、軍人でない民間一般人から陸・海軍大臣を任用すべきだ、と提言した。そして、軍部が主張する統帥権は憲法上からも否定さるべき、と公然と言いきる。この六年後、統帥権干犯問題が時の政権を揺るがす大きな政治問題となるが、歴史の進展を見通すその慧眼(けいがん)には驚くほかない。

このころ執筆した「『戦争』一家言」という論文で彼はこう述べる。

——欧州戦争以来、戦争は全国民的となった。飛行機の爆弾は見舞うに貧富の差別を設けない。次の戦争は東京も大阪も火の雨降ると覚悟せねばならぬ。軍人はその職分に忠実なるほど、戦争を好愛する。軍人は好戦の危険が故に、政治の外に隔離せねばならぬ。軍人に政権を与うるは、あたかも火鉢のそばに火薬を置くと同様に危険である。

水野は左傾的危険人物として憲兵隊や特高警察などから注視されるようになるが、彼自身は新聞のインタビューに対し、

——自分は理想としては軍備撤廃論者で戦争は呪うべきものと叫んでいるが、自分は社会主義者ではない。むしろ国家主義者である。

と答えている。

翌二五年、水野は雑誌に「米国海軍の太平洋大演習を中心として——日米両国民に告ぐ」と題する論文を発表する。日米両国の国民感情の行き違いを的確に指摘し、日米戦うべからずと声を大にアピール。「もし日米が開戦すれば、彼我の航空機による都市爆撃が行われる。（中略）日米不和の真因は相互の猜疑に基づく恐怖心と誤解に因る危惧心以外に何物もない。」と縷々述べ、「日本が米国と軍備競争を行おうというのは経済力からみても至愚のこと」と結論づけた。注目すべきは、朝鮮問題に関する次のような言及だ。

——自ら朝鮮を支配しながらアジア人のアジア主義は不徹底不合理のそしりを免れない。

そして、水野はこう歎く。

――ことに憂うべきは軍国主義者あるいは軍国主義団に皇室中心主義を担ぐ者の特に多きこと。皇室の名誉と信用を著しく減ずるものだ。

同年に発表した「軍艦爆沈と師団縮少」という次のような論文も注目すべき内容を含む。

――現代国家では国防問題は国民全体が任ずるところ。軍備は軍人の担当分野に過ぎず、国防の力は即ち国力であり、独り軍備だけを強大にするのは無謀にして危険な国防策だ。軍人は軍事の専門家だが、国防という国家の大政務に関しては素人であり局外者。国防の最善は戦って勝つことではない。いかにして戦わずに国力を保全するかが最善なのだ。だが、我が国の政治家の中には、餅は餅屋、国防の事は軍人に任すべしという愚者がいる。

この年、日本では男子中等学校以上での軍事教育実施がうたわれ、治安維持法が議会を通過した。軍国主義一辺倒でのファッショ化の暗雲が日本を重苦しくおおい始める。

第三節　言論の自由なき世は闇（やみ）

三一（昭和六）年、国内の政治情勢はますます混迷の度を深めていく。三月に陸軍の中堅軍人らが集う「桜会」と国家主義者・大川周明ら一派が謀議したクーデター計画「三月事件」が露見。九月には中国東北・柳条湖の満鉄路線爆破を種に関東軍が実力行動に出る。政府の不拡大声明をよそに関東軍は錦州を爆撃し、火の手は燃え盛るばかり。国際連盟は緊急理事会で日本軍の満州撤退勧告を13対1で可決するが応じず、十一月にはチチハルを占領。中国では排日運動が高まる一方だったが、軍部は国民への軍拡思想鼓吹に躍起となる。

翌年、水野は『興亡の此（この）一戦』と題する書物を刊行するが、ただちに発禁になる。良心の赴くまま、満州事変の経緯を叙述して軍縮会議に触れ、日米戦争を仮想。東京大空襲や戦火による大災害を予想し、結論として「日米あい戦うべからず、軍国主義者よ自重せよ」と訴えたのが軍部の逆鱗（げきりん）に触れた。水野は鬱屈（うっくつ）する胸中を和歌に託し、こう詠んでいる。

——言論の　自由なき世は　烏羽玉（うばたま）の　心の暗の　ひとやとぞ思う

さて、いま一人の文筆軍人・桜井忠温の方へ話を移す。彼は二四年に第四代の陸軍省新聞班長（後の情報部長）に就き、三〇年に少将で退官するまで職を全うする。退官の前々年、水野と同様に欧米歴訪の旅に出る。水野の訪欧は新しい世界観を獲得する前向きのものとなったが、桜井の場合は情緒的・感傷的なレベルに止まった。

文学をはじめ音楽・絵画・彫刻など文化万般に通ずる桜井は軍人らしからぬ「話せる男」として新聞界に好評だったが、とりわけ『読売新聞』首脳の正力松太郎や馬場恒吾と親密だった。陸軍退役後も、軍は国民の戦意を煽（あお）るためにその才能の活用を図る。桜井は『読売』の依頼で三七年、天津などの戦場を視察。「征野に立つ」と題する連載読み物を寄稿し、国民の戦意高揚に利する文筆活動に励んだ。

同じ年、水野は長野修身海軍大臣に宛てた「海軍の自主的態度を望む」と題する公開質問状を雑誌に発表する。すでにワシントン、ロンドン両軍縮条約は破棄され、世界は海軍無条約時代に突入。その行き着く先はとどのつまり戦争である、と彼はいち早く見通していた。だからこそ、日本海軍が軍拡に走ることの不可を切々と海相に訴えたのだ。だが、その至誠は空回りに終わる。日米開戦への基本路線はすでに敷かれていた。

三年後の四〇年、水野は「戦争と政治」と題する雑誌論文を発表し、発禁処分を受ける。ヨーロッパでの第二次大戦勃発を受け、その行方を予測する内容だった。その時点ではドイツとイタリアの枢軸側が圧倒的有利に戦局を展開していたが、彼は独裁政治や武断政治の危険を説き、自由主義と民主主義が勝利するであろう、とこう述べた。

——平たく言えば独逸ではヒトラーが国民に無理心中を強いるのであり、英国では国民と政府との合意の心中である。

——現代の戦争は国民の理解ある協力なくして勝つことはできない。そこに独裁国不可避の弱点がある。内外に対して種々の政治工作を必要とする長期戦に至っては、人の和を得たるデモクラシーが最後の勝利を占めるのではあるまいか。

五年後の四五年八月一六日（昭和天皇の終戦の詔勅発布翌日）、水野は年少の親友・松下芳男宛ての手紙にこう記す。

——日本今日の悲運は軍部をして驕(おご)らしめたる者の罪。国守る務め忘れて軍人が政治を弄(ろう)し国遂に破る。元来この戦争は、日本に於いては大和魂にうぬぼれて己を知らず、物力を侮って敵を知らず。敗戦は初めから明らかなことだったのである。

この松下は、伊予鉄道「松山市」駅前の正宗寺境内に水野の顕彰碑を建立した人物だ。大正後期～昭和戦前期の約二十年間に日本で出版された「日米未来戦記」は約五百点に上るが、日本の劣勢～敗勢を冷静に説くのは水野の著作以外ない。大方は「米国怖るるに足らず、大和魂の日本は強い」という精神論頼みか、日本にとてつもなく高性能の科学兵器ができて形勢逆転といったＳＦまがいの甘いもの。だが衆寡敵せず、水野の所論は異端視され、その「万全の勝利は不戦にある」との主張はろくに顧みられぬままに終わる。

敗戦の日を十歳で迎えた私自身の体験を記す。終戦記念日から僅か二週間前の昭和二十年八月二日未明、郷里の富山市を百数十機にも上るＢ29爆撃機が襲った。二時間余の焼夷弾攻撃で市街地が全焼して約十一万人の罹災者を生み、死者が約三千人、負傷者は約八千人に上った。空襲された場合は「消火活動に励め」という軍や警察からの指示があだとなり、原爆被災地の長崎を別にすれば、政令指定都市以外の地方都市では全国で最悪の被害をこうむった。

炎上する富山市街から十キロ余り離れた疎開先の親類宅に私は居た。両親や兄姉らの身を案じつつ（幸い無事だった）、酷い夜景をただただ見守るほかない。はるか高空を我が物顔で悠々と飛ぶＢ29の大編隊に対し、市の外れの連隊陣地が高射砲で散発的に応戦するが、まるで届かず線香花火のように頼りない。こりゃダメだ、と子供心に彼我の科学技術レベルの圧倒的な差異を直感。なんでこんなバカな戦争を始めたんだろう、といぶかしかった。

女子供にまで強いた竹槍（たけやり）訓練や防火用のバケツ・リレーなど現実のB29の大空襲には物の数ではなかった。「お上の言うことは当てにならない。」という強い不信感が、私自身の痛切な原体験である。次章から、戦前期の日本がどのようにして誤った進路をたどるようになったのか、その軌跡を点検してみる。

第二部　政治腐敗と司法不在

第四章　強権政治による言論封殺

第一節　元老会議による「非立憲内閣」

今から百年余り前の大正初め、日本の政界には閥族という名の特権勢力が幅を利かせていた。その源は明治維新の元勲と仰がれる大久保利通・黒田清隆らの薩摩閥と木戸孝允・伊藤博文・山県有朋らの長州閥を指す藩閥勢力である。大正期の閥族の親玉は山県有朋で、陸軍長州閥を根城に天皇の諮問機関の枢密院や貴族院へ睨（にら）みを利かせた。内務官僚を

山県有朋

巧みに取り込んで勢力を広げ、政党政治を敵視し対外強硬策を強く主張する。

日露戦争を扱った大作『坂の上の雲』の中で、人物鑑定に目の利く作家・司馬遼太郎はこう記す。

——山県にとって幸運だったのは、軍事の天才・大村益次郎が維新成立後ほどなく凶刃にたおれ、競争相手の作戦家・山田顕義が心情不安定の性行がわざわいし、「長の陸軍」は山県の独り舞台になった。

——その軍人としての才能・識見は、どれほどのものでもなく、当時の諸旧藩を見れば掃くほどにいたろう。しかし、革命の成果は薩長が独占している。他藩出身者は革命官僚群の主流には参加できない。

そして、山県の大きな才能として、こう述べる。

――自己を常に権力の場所から放さないということであり、このための深謀遠慮は彼の芸というべきものであった（中略）。官僚たちから意見を出させ、その意見群の中から適当なものを選び、それを組織に命じて実行させてゆく。山県はなまじい、彼自身が才物でなかったから、こういう官僚統御がだれよりもうまかった。

同じ長閥の元老でも伊藤博文は国際感覚に富む穏健な開明派であり、人柄も陽気で開放的だった。明治天皇は陰性で策略好きの山県をあまり好まず、伊藤の方を信頼したと言われる。が、伊藤は明治末期にハルビンで暗殺され、生来病弱だった大正天皇は政務に万全ではなく、山県ら閥族の乗ずる余地を生む。

この山県有朋による長閥路線は、共に長州出身の将官上がりである桂太郎（元陸軍大将～首相）と寺内正毅（元陸軍元帥～首相）が順次踏襲していく。

一九一六（大正五）年十月、時の大隈重信内閣が紛糾する政局の打開に行き詰まり、総辞職する。山県主宰の元老会議が推薦した寺内正毅内閣が発足し、閣僚は全て元老・藩閥がらみの官僚出身者が占めた。議会に基盤を持たぬこの内閣に対し、新聞や雑誌は筆をそろえて「非立憲内閣」と非難する。新聞界では寺内は「ビリケン」の仇名で通っていた。

頭の尖った顔つきがそのころ米国から輸入された「ビリケン人形」に似ていたのと、「非立憲」への批判をかけ併せた命名である。

　ビリケン寺内内閣に対し、新聞各紙は容赦ない批判を浴びせた。『報知新聞』は山県が寺内推薦のため宮中に早々と参内して画策したことを捉え、「宮中闖入事件」として再三攻撃。同紙は二度にわたり発売を禁止され、主筆・須崎芳三朗は新聞紙法違反で禁錮三ヶ月の刑を受けた。主筆が実刑に処されたのは以後に例を見ない。『大阪朝日』は憲法によらぬ非公式な存在の元老会議が後継首班を決めたことを非難し、社説で「寺内内閣の出現は妖怪の出現に異ならず」と訴え、国民に憲政擁護へ動くよう呼びかけた。

　二年前に勃発した第一次世界大戦は世界分割をもくろむ帝国主義国家間の争いが実情だった。しかし、寺内内閣発足の翌年三月、ソビエト革命が起きて帝政ロシアが滅亡し、翌四月にはアメリカが対独参戦に踏み切る。英・仏・伊などの同盟国側は独・墺など枢軸国と対比して、この大戦は民主主義を守るための戦争だとPRする。時代の潮流が日本にも押しよせ、デモクラシー思想や社会主義思想がどっと海外から流入し始める。

第二節　「民本主義」と『貧乏物語』

この当時、政治学者の東大教授・吉野作造は雑誌『中央公論』に盛んに評論を寄せ、民衆本位の政治を強く主張した。同誌の大正五年一月号には「憲政の本義を説いて其有終の美を済すの途を論ず」と題する論文が載って論壇に大きな波紋を投じ、吉野は大正リベラリズムの旗手的存在となっていく。

吉野はこう説いた。デモクラシーという言葉には二つの意味がある。一つは「民主主義」で、「国家の主権は法理上から人民に在り」とする人民主権説に由る。いま一つは「民本主義」で、「国家の主権の活動の基本目標は政治上人民に在るべき」とする政治上の主張だ。前者は君主国・日本には適さないが、後者は民主国と君主国とを問わず近代各国の憲法に共通する基本的精神である。

彼はデモクラシーの最大公約数を「人民の意思に基づく支配」に求め、その意味での最小限デモクラシーである民本主義が明治憲法下でも可能だと論証しようとした。その試み

吉野作造

は普遍的にして日本的なデモクラシー論と言っていい。彼は明治期の精神文化の軌跡を検証し、日本における民本主義勃興の必然性を説いた。

一方、山県有朋に代表される閥族は明治憲法が定める天皇の大権を盾として天皇の意思を拠りどころに政権を独占し、世論を抑え専制政治を推進した。山県らは議院内閣制は天皇の大権を侵すものだ、とさえ主張する。だが、現実の政治では天皇自身の意思が即政治上の決定となることは先ずありえない。首相の任命にしても、天皇が元老と相談して決めるか、議会の多数党から選ぶかのいずれかであり、天皇自身の意思が事実上制限されることに変わりはない。

吉野は法理上の主権の概念と政治上の権力とを混同すべきでないと説き、政治を公明正大にするには議院内閣制の方が良い、と主張した。すなわち、法理上の民主主義と政治上の民本主義とを区別することで、民衆の名において特権勢力を批判。国体論を振りかざす山県ら閥族勢力からイデオロギー的な武器を取り上げ、明治憲法の枠内で民衆が政治に参加する領域を拡大しようと努めた。

吉野の論壇登場と同時期の大正五年九月、『大阪朝日新聞』に京大教授の経済学者・河上肇（はじめ）がこんな書き出しの連載読み物『貧乏物語』を寄稿し始める。

河上肇

――驚くべきは現時の文明国に於ける多数人の貧乏である。（中略）英米独仏その他の諸邦、国は著しく富めるも、民は甚しく貧し。げに驚くべきは、是等文明国に於ける多数人の貧乏である。

河上は三年前に欧州へ留学し、

第一次大戦の戦火にあえぐ独・仏・英など各国を経て帰国したばかり。この連載は年末まで断続して続き、人道主義的な情熱にあふれる筆致が多数の読者の共感を呼んだ。貧乏とは個々人の境遇や運の問題だ、と諦め半分が従来の考え方である。だが大戦景気に便乗する俄(にわ)か成金が巨万の富をせしめる一方、一般民衆はその付けによる物価騰貴で生活難に泣かねばならない。河上は、これを社会の欠陥に基づく問題、すなわち解決すべき問題として提示した。

河上はこう説く。

――今日の経済社会は需要のある物だけを供給するのが原則。金持ちの奢侈贅沢(しゃしぜいたく)品に対する需要が貧乏人の生活必需品に対する需要を圧倒してしまう。このため無用な奢侈贅沢品ばかりどんどん生産され、生活必需品は後回しにされて欠乏する結果を生む。

河上は貧乏を根絶する方法として、世の富者が倫理的な自覚を深めて自ら進んで奢侈贅沢をやめ、生産が生活必需品の方へ回るよう提言した。

文芸方面でも呼応する動きが起きる。トルストイの影響で第一次大戦に際し非戦論を唱えた武者小路実篤らの雑誌『白樺』による理想主義・人道主義的な潮流。「新しい女」を掲げる平塚雷鳥らの雑誌『青鞜』による女性解放運動のうねり。明治期には見られぬ大正リベラリズムの新しい潮流は力を増していた。

だが、吉野の民本主義で言うと、一般民衆の名で特権勢力を鋭く批判して世論の共感を呼んだが、民衆が政治のリーダーとなることは認めなかった。現実の政治の担当者は少数の知的エリートであり、民衆はリーダーによって指導教養されるべき存在と見なした。民衆という概念は政治の場では特権階級を批判する強い武器になっても、社会内部の階級対立を覆い隠す作用もする。理論的な徹底をめざす社会主義者らからすれば、いまいち飽き足りない面はあったに違いない。

第三節　米騒動と批判的言論の封殺

一八（大正七）年八月三日夜のこと。富山県の漁師まち西水橋町で出稼ぎ漁民の女房たち百数十人が「米の県外移出反対」「米の廉売」を口々に叫んで資産家や米屋へ押しかける騒動が起きる。六日には東水橋町・西水橋町・滑川町一帯の漁民の主婦ら千余人が米の積み出しを実力で阻止し、町役場に時価より五銭安い三十五銭で米の安売りを行わせた。

こうして世に言う米騒動が始まり、地元の新聞は「越中女一揆」と呼び、

――さながら昨年三月露都に起こった食糧暴動を想起せしめる。

と翌日の紙面で伝えた。

十日にはこの米騒動が京都と名古屋へ飛び火し、十一日には大阪や神戸でも騒動が起きる。相互に計画も指導も連絡もない自然発生的なもので、新聞報道や事件のうわさが窮迫する民衆を刺激し、同時的な行動を生んだ。各地の騒動はいくら激しくても翌朝までには治まり、夜になると再発するパターンをなぞる。騒ぎの主力となったのは、富山の漁民の主婦たちは別として各種の職人や日雇い人夫に沖仲仕・土方・車夫ら収入の乏しい不安定な暮らしの人々。群衆の間には高騰する米価に無策な政府への不信や懐を肥やす金持ち階級に対する反感が底流にあり、団結して騒ぎを起こせば米価を引き下げさせることも可能と覚ったのが直接のきっかけだった。

三年前に始まった第一次大戦中のインフレ進行により地主や米商人が投機を図り、売り惜しみや買い占めをしたこと。その地主や商人のため寺内内閣が外米輸入関税の撤廃措置をとらなかったこと。等々から米価が異常に暴騰して民衆の生活難と生活不安が深まり、

空前の大暴動が全国各地で連鎖反応的に次々と発生する異常事態を生んだ。

この米騒動に関する精細な研究書『米騒動の研究』（井上清・渡部徹編）によれば、騒動は一道三府三七県にわたり、市町村にして三百六十九カ所に及ぶ。街頭の騒ぎに加わった者は百万人を超すと見られ、軍隊まで出動したケースが三府二十三県の百カ所余り。ピーク時で二万二千名余、延べ五万七千人以上の兵員が出動したと推定され、日本の近代史上で民衆運動に対してこれほど巨大な兵力が投入された例は他にない。

米騒動における民衆の動きを支援し、政府に闘いを挑んだのは新聞各紙である。寺内内閣の言論圧迫との闘いを味わった諸新聞はこの騒動を民衆に好意的に報道すると共に、民衆の要求を軽んじた寺内内閣の専制政治が米騒動を招来したとし、政府の責任を追及した。

一方、騒動が広がるのは新聞が誇大に報道するからだとして、政府は八月十四日に米騒動に関する一切の記事の掲載禁止を全国の新聞社に通告。東京をはじめ全国の新聞通信社、記者団は言論擁護・内閣弾劾の大会を各地で開く。窮地に立たされた寺内首相は八月末に山県を訪ね、辞意を告げる。だが、退陣を前に寺内内閣は政府攻撃の先陣を切った『大阪朝日新聞』に弾圧の刃を突きつける。政府が目をつけたのは、八月二十五日の関西記者大会の模様を報じた次のくだりだ。

――（前略）我大日本帝国は、今や恐ろしい最後の審判の日に近づいているのではなかろうか。『白虹日を貫けり』と昔の人が呟いた不吉の兆しが、黙々として肉叉（フォークの意）を動かしている人々の頭に雷の様に閃く。

警察当局はこの表現を捉え、「白虹日を貫く」とは国に兵乱が起こる徴であり、「日」は天子を意味する、と難癖をつけた。黒竜会・浪人会などの右翼団体が騒ぎだし、『大阪朝日』は新聞紙法にいう皇室の尊厳冒瀆・政体変改・朝憲紊乱事項記載のかどで起訴される。公判廷では、検事が発行停止を要求して脅した。『大阪朝日』は責任を負って社長が交代し、編集局長ら十人近い幹部が退社。事件に対するいわば改悛の情を公にし、発行停止措置だけは免れる。進歩派とされる論客を失い、同紙の論調は以前より精彩を欠いていく。

批判的言論の封殺はファッショ政治の一番の特徴である。この折の政府の所業は、日本を破局に導いた昭和戦前期の軍部政権にも一つのヒントをもたらしたのではないか。

本稿の柱の長州閥で連想するのが、岸信介・佐藤栄作の兄弟首相～安倍晋太郎自民党幹事長～安倍晋三前首相と三代にわたって続く政治人脈だ。私は佐藤内閣の後期～田中角栄内閣発足のころ国会担当を三年間務め、思い出がいろいろある。佐藤氏は退任記者会見で「偏向的記者は大嫌い」と発言し、テレビ以外の新聞各社側は総退席したが、私もその場に居合わせ席を立った一人である。

佐藤政権の末期に毎日新聞が機密公電をスクープし、「沖縄返還密約」問題が火を噴いた。佐藤氏も内心きわどい思いを味わったはずだが、それが「偏向的記者うんぬん」につながったとすればお門違いで、度量の狭さを示したようなものと感じたのを思い出す。

そして、七年八ヵ月の長きにわたった安倍前政権。親しい仲の作家・百田尚樹氏の「沖縄の二つの新聞は絶対につぶさなあかん」という発言には愕然(がくぜん)とした。安保法制をめぐり憲法解釈を勝手に変えるなど行政独裁と映った「アベ政治」。並びにその亜流の菅政権は、民主主義にはほど遠い強権的な趣が色濃い。戦前の長閥政治が言論弾圧~ファッショ的強権政治につながった二の舞だけは絶対にごめんだ。

第五章　汚職花盛りと司法不在

第一節　陸軍機密費事件の怪

大正時代は汚職花盛りと呼んでいいほど、大がかりな疑獄事件や政財官ぐるみの汚職事件が多発した。その醜状が右翼や軍の若手将校らの怒りを誘って昭和戦前期の「五・一五事件」や「二・二六事件」などのテロやクーデター騒乱を呼び、ひいては軍部による国家乗っ取りへつながっていく。

一九二五（大正一四）年三月五日の各新聞は田中義一政友会総裁をめぐる公金横領ならびに機密費事件を大々的に報じた。元陸軍大将の田中は山県有朋に連なる長閥最後のリーダーで、大正半ばに原敬内閣の陸相を務めた後、予備役編入とともに政友会総裁に就いた。

新聞報道は陸軍二等主計・三瓶俊治による陸相当時の田中と次官・山梨半造への告発状に基づく。三瓶は大正九年当時に陸軍大臣官房付で、官房主計金を入れる金庫に田中陸相や山梨次官ら幹部四人の総額八百万円を下らぬ個人名義の預金証書があった、と証言。この預金が無記名公債に逐次買い替えられ、これらの預金と公債が個人所有扱いに移され、いかなる処置がなされたかが不明である、として両将軍を告発した。

この件とは別に、佐藤繁吉という男の田中総裁に対する四十八万円の支払い請求訴訟も起きる。田中の政友会入りに先立って三百万円調達を依頼され、神戸の金貸し乾（いぬい）新兵衛から首尾よく引き出すことに成功した報酬の約束の支払いを求めたのだ。乾は担保なしで金を貸すような男ではなく、田中が三瓶に追及された公債を借りる三百万円の担保に入れたと考えると、これら二つの話のつじつまが合ってくる。

政友会の政敵・憲政会の論客・中野正剛はこの事件を取り上げ、

――問題の大金はシベリア出兵当時の二千四百万円もの巨額に上る陸軍機密費の一部を横領したものではないか。

と爆弾質問をし、田中の政友会入りに関係した同会所属議員四名の調査を要求した。政友会側は、中野は実は共産党員でソ連の手先となって軍民離間を図るのが狙いだと反論して自決さえ求め、議場は大混乱に陥る。

陸軍も黙視できず、宇垣一成陸相が乗り出す。宇垣は中野の主張は陸軍の威信と面目をそこなうものだとし、翌日の議院で閣僚たちを前に

――数十万軍人の先頭に立つ身として、憲政会全体が陸軍にいかなる考え方を持っているのか、この際とくと承知しておきたい。

と開き直った。若槻礼次郎首相らは狼狽（ろうばい）して陳謝し、中野の追及も腰砕けに終わる。大蔵官僚上がりで長州閥など専制勢力との対決に及び腰の若槻をトップに頂く政党内閣のひ弱さをさらけ出した。

一方、三瓶の告発の方も奇異な経過をたどる。告発を受けた東京地検は石田基次席検事が主任検事として三瓶の取り調べを担当。三瓶も実は後ろ暗い身で、主計在職中に無記名公債一万三千円分を勝手に持ち出して罪に問われた前歴がある。告発の二か月後には政友

会院外団の有力者にかくまわれ、

——悪魔に魅入られ、軍閥暗闘の傀儡（かいらい）となってしまった。

という内容の懺悔（ざんげ）文を公表した。

半年後にさらに変事が起こる。十月三十日早朝、事件担当の石田検事が国鉄「大森」〜「蒲田」間の小川の中で変死体となって発見された。彼は前夜、日比谷の料亭での宴会に各検事局の検事正らと出席したが、市ヶ谷の自宅とはおよそ方向ちがいの場所で死んでいる。石田検事は、田中政友会総裁の機密費問題のほか大阪の松島遊郭移転をめぐる汚職事件や朝鮮人アナキスト朴烈にからむ摂政への訴願未遂事件を担当していた。それだけに、これらの事件にからむ謀殺の線が当然疑われたが、東京地検の吉益俊次検事正は早々に過失死と断定し、遺体を解剖もさせず火葬に付す。陸軍機密費事件はこうして石田検事の死を以って不起訴に終わり、うやむやのまま幕引きとなる。

検事局の部内では、貴族院で田中を応援し、後に田中政友会内閣の内相となった司法官僚の大ボス鈴木喜三郎の勢力が跋扈（ばっこ）していた。新聞各紙はこの事件の裏面に疑惑を抱き、この鈴木の陰謀ではないかとの噂（うわさ）も飛んだ。作家・松本清張は著書『昭和史発掘』の中でこの事件を取り上げ、かなり確度の高い資料を基に田中義一や久原房之助（「政界の怪物」と言われた長州出身の実業家）と手を結ぶ鈴木の策謀ではないか、と推測。さらに、下山事件（連合国占領下の戦後まもなく国鉄総裁・下山定則が出勤途中に失踪。翌日未明に死体となって発見され、自殺説・他殺説が入り乱れた）を引き合いに
――石田検事殺害の方法を一つの手本として仕組んだ、という気がする。
と付言している。

第二節　海軍は「シーメンス」事件の闇

前記の陸軍の大スキャンダル事件に先立つ一四（大正三）年一月二十三日、時事新報がロイター電として
――独逸シーメンス社の東京支店社員リヒテルが恐喝罪で有罪判決を受け、その供述から同支店が日本海軍高官に贈賄した事実が判明した。
と伝える。衆議院で野党議員が追及し、海軍は査問委員会を設けて沢崎寛猛大佐と藤井

光五郎機関少将を収賄容疑で軍法会議にかけた。続いて、巡洋戦艦「金剛」の艦体工事にからみ、受注先の英国ヴィッカース社から三井物産を介した贈賄事件が発覚。時の呉鎮守府司令長官で次の海相と見られていた松本和中将が収監され、三井物産重役・岩原謙三らも検挙される。海軍大佐・太田三二郎や主計大監・片桐酉次郎が海軍部内の腐敗を内部告発して免官される騒ぎも起きた。

検察の捜査で次のような事実が浮かぶ。シーメンス社は艦政本部員・沢崎大佐とコミッション（口銭〜贈賄）契約を結んでいたが、ヴィッカース社は三井物産の仲介でロンドン在住の艦船本部第三部長・藤井少将に接近。「英国で建造する軍艦一隻については五％、他の海軍用品の発注には二・五％」という新たなコミッション契約を結ぶ。「金剛」の請負価格二千三百六十余万円から三井物産は百十八余万円のコミッションを受け取り、松本中将に約四十万円を贈っていた。当時の物価を時価に換算すると四十万円は今の四億円超にも相当するとされ、いかに巨額の不正だったか分かる。

収賄の動機について、松本は

——自分の懐を肥やすためではなく、次期海相としての「機密費」を用意するために受け取った。

と不見識きわまる弁解をしている。

もう一人の藤井は三年間にヴィッカース社から関連会社分を含め前後七回で約三十六万円を収賄。しゃれた洋館を増築したり、自動車を乗り回して待合や料亭に入り浸るなど豪奢な暮らしぶりが明らかになった。

海軍内部の腐敗ぶりは底知れぬ、と疑いの目が向けられる。一月三十一日付け大阪朝日新聞は「海軍腐敗の実情」を特集し、海軍の艦船請負に長年携わった人物の談話として、こう記す。

——軍艦請負業者が海軍高官にコミッションを出すのは内外を通じ公然の秘密で、収賄のルートは外国の会社だけではなく内地の商店にも因縁浅からぬものがある。

そして、〈神戸の川崎造船所が山本権兵衛首相や斎藤実海相らに「年々巨額の金」を贈るのが習わしである〉との噂を紹介。「海軍軍人の株主」と題する関連記事では、〈海軍の高官たちは陸軍にくらべ大邸宅に居をかまえ、種々の名義で川崎造船の株主となっている者が多い〉とし、「海軍の諸法規を侵害し、眼中利欲あって国家なく」と嘆く某海軍少将のコメントを紹介している。

捜査が核心に迫る最中、事件のカギを握る最重要人物視されたシーメンス社東京支店代

山本権兵衛

理人・吉田収吉が監房で縊死をとげる。その死が自殺なのか、ある筋からの強要によるものかは不明ながら、海軍首脳部が強引に幕引きを図る中での「捜査上の一大打撃」だったのは間違いない。実は、松本中将の収賄分から十万円が斎藤海相に渡っていた。検察はその事実を承知しながら内密にしたことが当時の検事総長・平沼騏一郎の『回顧録』に明かされている。平沼は九年後の第一次山本権兵衛内閣で法相に就き、後には首相の座にまで昇りつめた。検察と政治の結託により、巨悪がにぎりつぶされる構図が思い浮かぶ。

時の山本権兵衛首相は「海軍の父」と呼ばれた薩閥の大御所である。直前の「長閥の陸軍」系の桂太郎内閣は大正デモクラシーによる護憲運動が高まる中で、組閣からわずか二か月足らずで総辞職に追い込まれた。この政変以来、権威に対する民衆の反抗心は高まっており、海軍と言えば山本閥を連想。軍艦建造費とからんで薩派の御用商人との結託が想像され、野党会派や貴族院の山県派議員らはここぞとばかりに攻撃し、山本内閣は事件表面化から二ヵ月後に総辞職するに至る。

第三節　疑獄・満鉄事件と原敬首相刺殺

汚職の舞台は国内だけに止らず、海外にまで広がっていく。

一九（大正八）年の大晦日夜、とんだ一件が発覚する。日本の事実上の植民地に当たる中国東北部・関東州で関東庁阿片局主事・小畠貞次郎が長春行きの列車内でアヘン入りトランクの合鍵（あいかぎ）を前樺太長官・平岡定太郎に渡す現場を巡査に押さえられたのだ。

関東庁では、中国人住民のアヘン吸引を徐々に減らす名目で「宏済善堂（こうさいぜんどう）」という組織をこしらえ、一定の数量だけ小売人に売りさばかせていた。この年からは小売人の中に新た

に特売人を設け、無制限に売りさばきができるよう変更したばかり。野党議員は、

――拓殖局長官・古賀廉造とその腹心の関東庁民生局長・中野有光が宏済善堂を通じて州内で没収した大量のアヘンを特売人に払い下げて中国に密輸出し、その利益の大半をせしめているのではないか。

と追及した。

翌二〇年四月、さらに別の疑獄・満鉄事件が明るみに出る。日露戦争の産物である国策会社・南満州鉄道は、船価の高いころ商社を通じて六千三百トンの新造船をトン当たり三百二十五円で三菱造船所に発注していた。が、第一次大戦後の恐慌で値崩れが起きた時期に、これを解約して同じトン当たりの値段で八千五百トンの船を内田造船所に注文し直す。内田造船所の経営者・内田信也は三井物産を経て独立し、大戦後の用船ブームで船成金にのし上がり、時の原敬首相の知遇を得て政治に関心を抱くにいたった人物だ。

原は大正初めの山本権兵衛内閣のころ政友会幹部の伊藤大八を満鉄副総裁に就け、己の政権では官僚上がりでツーカーの仲の中西清一を副社長にして実権を握らせた。この中西副社長は同年五月の総選挙直前に、与党の政友会から立候補した森恪（もりつとむ）が専務取締役の東洋炭鉱と契約し、その系列下の搭連（とうれん）炭鉱を二百二十万円で買い入れていた。

野党議員はこれらの取引が法外な高値であり、その利益の一部は総選挙に大勝した政友会の選挙資金に回ったのではないかと追及し、政府の満鉄に対する監督責任を問題にした。憲政会などの野党は事件について原内閣の責任を問う決議案を上程するが、圧倒的多数を占める政友会により葬られる。だが、アヘン事件の古賀・中野・小畠らはいずれも有罪となり、満鉄事件の中西も一審は背任罪で有罪となったが控訴審では証拠不十分として無罪となる。新聞記者上がりで爵位を持たず「平民宰相」と呼ばれた原敬は政党政治の確立に努めた。自身は金銭にきれいだったが、党勢拡張のためには利権を利用することもはばからず、こうした不祥事の続発につながった。

原敬

疑獄表面化の明くる二〇年一一月四日、原は東京駅構内で鉄道省大塚駅員・中岡艮一（こんいち）（当時十八歳）に短刀で刺殺される。犯行の動機は、原首相が政商や財閥中心の政治を行って一連の疑獄事件を生んだことへの反感、と見られた。犯人の中岡は無期懲役の判決を受けたが、三回の恩赦によって十三年後には出所し、旧満州で陸軍司令部に勤務した。短刀使用という犯行の手口などから右翼との関連が疑われたが、裁判は異例の速さで進められて調書などもほとんど残っていず、多くの謎を残した。

一連の事件処理をめぐって感じるのは、司法のメスの頼りなさである。本項の原首相暗殺の一件はもとより、前記の陸軍機密費事件や海軍の巨額汚職事件もうやむやのまま幕引きが図られた。陸軍機密費事件では担当検事が謀殺の疑い濃厚な怪死をとげ、海軍の汚職事件でも重要被疑者が監房内で謎の死を迎え、捜査が頓挫している。

戦前の明治憲法は検察官の職務について、

——検事ハ法憲及人民ノ権利ヲ保護シ良ヲ扶ケ悪ヲ除キ裁判ノ当否ヲ監スルノ職トス。

と規定。司法大臣をトップに、検察のみならず裁判官の人事に影響力を発揮したり、弁護士に対する指揮監督権を持ったり、検察ファッショといわれるほど司法界全体ににらみが利いた。その検察権力が「良ヲ扶ケ悪ヲ除キ」の根本規定とは逆の方向へ動いていたなら、法の正義は失われ、人々の失望感は測り知れない。昭和戦前期の右翼テロや少壮軍人らによるクーデター計画は、その意味では起こるべくして起こった、とも言えよう。

さて、敗戦から七十年を迎えた二〇一五年。遵法精神の模範となるべき日本の最高責任者・安倍前首相は憲法学者の指摘や多くの民意に背き、集団的自衛権容認という解釈改憲の禁じ手に踏み切った。その報いが、何時、どんな形で表れるのか、想像するだに身がすくむ。

第六章　治安維持法と特高警察

第一節　「大逆事件」は「憂国の殉難」か

一九一一（明治四四）年一月、「大逆事件」のかどで幸徳秋水（こうとくしゅうすい）・菅野スガ・大石誠之助ら十二人が死刑判決（他に十二人が無期懲役）を受け、一週間後には異例の速さで処刑されている。戦前の旧刑法は皇室に対し「危害ヲ加ヘ、又ハ加ヘントシタルモノハ、死刑ニ処ス」と規定。大逆罪は大審院だけの一審制で、非公開で進められた裁判は半年ほどで結審した。検挙の網は全国に広げられ、無政府主義者や急進的社会主義者と目された者を容赦なく拘引し、その総数は数百人にも上った。

主犯とされた幸徳は『万朝報』の記者出身で、同紙が日露戦争の際に非戦論から開戦論に転じたため同僚の社会主義者・堺利彦らと共に退社。非戦論を訴えるため堺と『平民新聞』を創刊する。渡米してロシアからの亡命者と「治者暗殺」を論じたり、集会に出て「露国同胞の革命は世界革命の先鋒（せんぽう）」と叫んだ。帰国後は日本社会党の結党に加わり、議会主義を捨てて直接行動に出るよう提唱し、同党は治安警察法違反で結社禁止となる。

だが、政友会領袖（りょうしゅう）で直前の西園寺公望（きんもち）内閣の内相を務めた原敬（はらたかし）は、

――此裁判に関し弁護の任に当りたる鵜沢総明（うざわふさあき）などの云う所によれば、四名は止むを得ざる者なるも他は決して大不敬の考にては之なかりしが如しといえり

――今回の大不敬の如き実は官僚派が之を産出せりと云うも弁解の辞なかるべしと思う

と記している。（いずれも『原敬日記』）

近年の研究では「四名」は幸徳の愛人・菅野スガら四人を指し、幸徳自身や大石誠之助は該当せず、事件の大要はでっち上げの疑いが濃いとされる。時の桂太郎首相は長州閥の陸軍大将出身で、背後にいる閥族の親玉・山県有朋の陰険な関与を推測する研究者もい

る。

幸徳の心友の大石誠之助はアメリカで医学を学んだクリスチャンでヒューマニスト。取り調べに対し、「嘘から出た真」とつぶやいたと言われる。私は彼の郷里である紀州・熊野の新宮市を取材で訪ねているが、「憂国の殉難者」として崇める空気が地元では強い。

幸徳の人となりをよく知る作家・徳富蘆花は一高講堂で「謀反論」と題する追悼演説に立ち、要旨こう述べる。

幸徳秋水

——明治維新を導いた先覚の志士らは、時の権力から言えばみな謀反人であった。幸徳君等は乱臣賊子の名を受けてもただの賊ではない、志士である。自由平等の新天新地を夢み身を捧げて人類のために尽くさんとするのである。その志は憐れむべきではないか。

——国家百年の大計から言えば

眼前十二名の無政府主義者を殺して将来永く無数の無政府主義者を生むべき種子を蒔いてしもうた。忠義立てして謀反人十二名を殺した閣臣こそ真に不忠不義の臣である。

——幸徳君等は時の政府の謀反人と見なされて殺された。が謀反を恐れてはならぬ。自ら謀反人となるを恐れてはならぬ。新しいものは常に謀反である。

演説が終わると、聴衆の万雷の拍手で講堂は割れんばかりになった。この演説は一高弁論部の河上丈太郎（後の社会党委員長）や森戸辰夫（後の文部大臣）らの求めに応じたものだった。大逆事件の犯人を志士扱いするとは怪しからぬ、と文部省はかんかんになるが、一高校長・新渡戸稲造は一切の責任を自ら引き受けた。

同じく大逆事件に強いショックを受けた一人に歌人・石川啄木がいる。事件の判決当日、彼は日記にこう記す。

——今日程余の頭の昂奮していた日はなかった。（中略）『日本は駄目だ』

数ヵ月後、「われは知る、テロリストの／かなしき心を——」と始まるこんな詩を綴る。

——言葉とおこなひとを分かちがたき／ただひとつの心を、／奪はれたる言葉のかはりに／おこなひをもて語らんとする心を、／われとわがからだを敵に擲げつくる心を／しかして、そは真面目にして熱心なる人の常に有つかなしみなり。（以下略）

四年後、貧窮のうちに結核を病み骨と皮ばかりにやせ衰え、二十六年の生涯を閉じる。

第二節　治安維持法と「白色テロ」

時代が下って昭和三年（一九二八）三月五日夜、東京・神田の旅館に宿泊していた旧労農党衆院議員・山本宣治が面会を強要した右翼団体員・黒田保久二に短刀で刺殺される。その日、衆院では〈国体変革を目的とする結社を組織した罪に最高で死刑を科す〉という内容の治安維持法改正の事後承諾案を可決。山本をはじめ無産各党の議員は同案に強く反対していた。

山本は同志社や京大で生物学を教え、社会運動や労働運動の実践を通じて政治活動へ踏み込み、前年の第一回普通選挙で政府による露骨な選挙干渉のさなか京都二区から当選。「やません」と親しまれる人柄で、三十九歳の働き盛りだった。

山本を襲った犯人・黒田は元警察官で、所属する右翼団体「七生義団」は機関紙で無産党議員の刺殺を宣言していた。この問題を追及した日本大衆党・浅原健三は議会で、――（犯行を）もみあいの中での過失であるかのごとく犯人・黒田に有利に説明した警視庁の担当課長は、黒田とは飲食を共にする親しい間柄だった。

と追及した。黒田は殺人罪で起訴されて懲役十二年の判決が確定するが、減刑されて七年後には仮出所。翌年に特別減刑の特典に浴している。

現役の国会議員刺殺というこの衝撃的事件が起きてから十日後の同月十五日早朝、警察は全国の三府一道二十県にわたって労働団体・農民団体・旧労農党などの事務所やマークする人物の寝込みを襲った。三年前に施行され、直前に改正案が通ったばかりの治安維持法による検挙者は千六百人にも上り、約五百人が起訴された。労農党などの無産政党は解散を命じられ、治安維持法のさらなる強化や特高警察網の拡充が図られる。時の政権トップは長州閥に連なる陸軍大将上がりの政友会総裁・田中義一で、その昔の大逆事件当時の長閥軍人出身である桂太郎政権との相似性を連想させる。

この検挙以来、社会主義運動に対する脅迫と予防の手段として警察の拷問行為が露骨化していく。白色テロと呼ばれる官憲による無法な弾圧はファシズムには付き物であり、軍閥政治権力の支柱の一つはこうした恐怖政治にあった。この折の警察の拷問のすさまじさをプロレタリア作家・小林多喜二は小説『一九二八・三・一五』にこう記す。

――渡は裸にされると、いきなりものも云はないで、後から竹刀でた、きつけられた。力一杯になぐりつけるので、竹刀がビュ、ビュッとうなって、その度に先がしのり返った。彼はウン、ウンと身体の外面に力を出して、それに堪へた。

――渡は、だが、今度のはこたへた。それは畳屋の使ふ太い針を身体に刺す。一刺しされる度に、彼は強烈な電気に触れたやうに、自分の身体が句読点位にギュンと瞬間縮まる、と思った。

――終(しま)ひに、警官は滅茶苦茶になぐったり、下に金の打ってある靴で蹴ったりした。それを一時間も続け様に続けた。（中略）彼の顔は『お岩』になった。そして、三時間ブッ続けの拷問が終わって、渡は監房の中へ豚の臓物のやうにはふりこまれた。

小林は秋田の小作農家に生まれ、苦学して小樽高商を出て銀行員となるが、社会主義運動と文学活動にもっぱら情熱を傾ける。前掲の小説は二十三歳の時に小樽市で体験した事実が基。人口十五万弱の中から二百人近い労働者・学生らが警察に拘引され、残忍な拷問に遭う。つぶさに伝え聞き、彼は怒りと憎しみで血がたぎる。仕事の合間に少しずつ書きため、作品後半の警察内の場面では「一字一句を書くのにウン、ウン声を出し、力を入れ

小林多喜二

た」という。作品が掲載された機関誌『戦旗』は発禁処分となるが、特高警察の非道をあばいた筆者の名は警察官僚らの脳裏に強く刻み込まれる。

満州事変勃発の明くる年の三二年、プロレタリア文化運動に対する国家からの圧迫が急速に強まる。詩人・坪井繁治や作家・宮本百合子に評論家・中野重治ら数多くの文化人が逮捕され、神田の文化連盟事務所などが捜索を受け、作家同盟や演劇同盟などの機関誌はことごとく発禁処分となる。プロレタリア作家同盟中央委員に選ばれていた小林多喜二は弾圧を逃れて地下活動に入っていたが、翌年二月に街頭連絡中に逮捕され、その日のうちに東京・築地署で拷問により二十九歳の若さで亡くなった。築地署は「心臓麻痺」と発表するが、翌日遺族に返された遺体は全身が無残に腫れあがり、特に下半身は内出血の跡がひどかった。しかし、どこの病院も特高を恐れ、検死解剖を断った。小林の代表作『蟹工船(かにこうせん)』は多くの外国語に翻訳され、日本のプロレタリア文学の傑作として広く世界の人々に読まれている。訃報(ふほう)に接した中国の作家・魯迅(ろじん)は虐殺に抗議し、弔電に心からの哀悼の念を表した。

これに先立つ二三（大正一二）年、関東大震災の混乱の中でアナキストの大杉栄と妻の伊藤野枝そして六歳になる甥の橘宗一の三人が憲兵大尉・甘粕正彦(あまかす)に虐殺されるという衝撃的な事件も起きている。形ばかりの軍法会議の結果、甘粕は懲役十年の判決を受けるが三年余りで出所して満州へ渡り、満州映画会社理事長として権勢をふるった。

第三節　思想警察による学問弾圧

プロレタリア運動への大弾圧が強まった三二（昭和七）年十月、東京・大森で起きた「銀行ギャング事件」が世間を驚かす。犯人の三人はなんと共産党員で、活動資金不足による窮余の暴挙だった。事件を契機に共産党への大手入れが行われ、幹部が次々と逮捕され、岩田義道は獄中で拷問によって殺される。岩波新書『特高警察』（荻野富士男著）によれば、戦前の特高警察による獄中での虐殺は八十人、拷問による獄中死が百十四人に上るという。戦前の日本は果たして法治国家だったのかと耳を疑いたくなるばかりの無道さだ。

獄中の佐野学・鍋山貞親が転向声明をし、やはり獄中にいた数々の幹部らも次々と転向していく。佐野・鍋山両人の声明以来わずか一カ月で刑務所に当時いた未決囚千三百七十人の約三割が、また既決囚三百九十三人中三人に一人が転向したとされ、そのショックの大きさを示している。以後、日本の左翼運動は冬の時代を迎える。治安維持法で検挙した容疑者に警察は容赦なく拷問を加え、平気で生命さえ奪う。虐殺されるのを避けるには転向を誓う以外に方法はない、というほど弾圧はすさまじかった。

転向によって命が救われ罪は多少軽くされたにせよ、多くの活動家たちが失ったものは小さくはなかったはずだ。多くの青年たちは心底敗北感を味わい、思想的な堕落を自覚し、一生挫折感のとりこになったにちがいない。陰湿で薄暗い悲惨さを伴い、昭和戦前期の思想的退廃の一つの根源となっていく。

三一年の満州事変勃発そして六年後の日中全面戦争突入に伴い、軍部は政治の中枢に進出。同調する官僚や政治家を動かし、着々と準戦時体制を固めていく。国体明徴を期さねば国防の安全は保てないと思想対策を厳しくし、危険不穏な思想の徹底的追放を図る。マークしたのは初めは共産主義思想だったが、次第に拡大解釈されていく。社会主義思想はもちろん、自由主義や平和主義・国際主義など、軍部の政策に批判的な思想は全て「アカ」として一くくりされる。巨大な反動化のうねりの中で、学問思想の自由も大学の自治も顧慮されず、危険思想の温床視さえされるに至る。

翌々三三年、衆議院で「教育革新に関する決議」が通る。「国民の一部に矯激なる思想を抱懐して民心を惑乱」する者があるから、「政府は確固たる思想対策」を立て、「根本的に之を芟除（雑草を刈り除く意）し以て民心の安定を図るべし」という趣旨。最初に標的となるのが「滝川事件」だ。鳩山一郎文相が大学自治の慣行を無視し、滝川幸辰京大教授（刑法担当）を文官分限令により一方的に休職処分にした。反共右翼系学者・蓑田胸喜らが滝川を「アカ」と攻撃し、貴族院や衆議院の一部議員が「赤化教授追放」を要求。それに屈するように、文部省が滝川の著書『刑法講義』『刑法読本』を発禁処分にした矢先のこと。文部省が挙げた根拠は薄弱で難癖の類に近い。

京大は結束して文部省に反対し、総長も滝川の処分を拒絶した。京大法学部では抗議するため教授全員が辞意を固め、助教授・講師・助手もならい、三十九名全員の辞表を提出。教授会を支持する学生たちも授業ボイコットや総退学運動を展開するが、大学側は他大学はむろん京大の他学部も法学部を見殺しにする。文部省は総長更迭をはじめ教授会の切り崩しなど様々の策を弄（ろう）し、結局は大学の完全な敗北に終わる。

滝川は社会主義者でもなんでもなく、思想がいくらか自由主義的だったに過ぎなかろう。学者たちはこれ以降なるべく口を閉ざし、時局便乗派の教授が勢力を得て大学自体の右傾化が進む。この後、天皇機関説（美濃部達吉）事件〜矢内原（忠雄）事件〜河合（栄治郎）事件と一連の学問圧迫事件が展開されるが、共通するパターンがあった。まず蓑田らが攻撃をはじめ、貴・衆両院の一部議員が取り上げ、政府が大学に圧力をかける。知識人たちは貝のように口を閉ざし、無気力なままに事態を傍観するだけとなっていく。

特高警察と治安維持法は日本型ファッショ政治にとって飛び切りの武器となった。特高は軍部による中国侵略に反対する共産主義者たちを思うがまま弾圧し、獄中での生命剥奪（はくだつ）という恫喝（どうかつ）で転向を強いた。治安維持法による脅しで知識人や言論機関は「アカ」と指差されるのを恐れ、畏縮してしまったことも見逃せない。私の大学時代の恩師・渡辺一夫氏

（フランス文学）は「戦中日記」の一節にこう記す。

——知識人の弱さ、あるいは卑劣は致命的であった。日本に真の知識人は存在しないと思わせる。知識人は、考える自由と思想の完全性を守るために、強く、かつ勇敢でなければならない。

第三部　対外侵略と経済不安

第七章　「国恥記念日」と「建国の原点」

第一節　日露戦争勝利～韓国併合へ

初めに一言。私は中国が南シナ海で現に進めている岩礁埋め立てに反対だし、チベット族やウイグル族そして国内の民主派勢力に対する人権抑圧に怒りを覚える。また韓国に対しても、竹島の領有問題などでの大人げない態度には強い反発を感じる。だが、そうした感情と韓国や中国との「歴史認識」をめぐる摩擦についての考え方は別だ。明治末～昭和

安重根

戦前期における両国との交渉史をひもとくと、日本人として居たたまれぬ恥ずかしさを感じないではいられない。すぐ「自虐史観」とか口にしたがる人たちは、こういう基本的史実を果たしてどこまでご存知なのだろう。

　一九〇九（明治四二）年一〇月二六日、韓国の前統監・伊藤博文が韓国人活動家・安重根にハルビン駅頭で短銃で狙撃され、不慮の死をとげる。犯人の安は死刑に処されたが、韓国内では救国の英雄としてその後ひそかに尊敬され、今日その銅像がソウルに建立されている。日韓の不幸な関係は、この事件に端的に集約されると言っていい。

　長州の志士上がりで明治新政府の初代総理を務めた伊藤は、立憲制のもとで政党政治への道を開く。国際感覚を身につけた穏健な開明派で、山県有朋系の官僚派とは時に対立した。日露戦争勝利後の〇五年、日本は韓国への影響力を急速に強め、枢密院議長だった伊藤は韓国の事実上の支配者である統監の地位に就く。

日英同盟の相手国イギリスは、韓国で日本が「指導、監理及ビ保護ノ措置ヲ執ル権利」を認め、ロシアもポーツマス条約でほぼ同様の内容を承認。日露間の斡旋(あっせん)をしたアメリカも日本が韓国に宗主権を設けて保護国化することに反対しなかった。問題はいかにして実力行使をせずにそれを実現するかであり、その大任を任されたのが伊藤だった。

伊藤博文

同年十一月、日韓協約案を手に伊藤は韓国皇帝・高宗と会談し、「外交事務いっさいを日本に委任するよう」迫り、呑(の)ます。韓国政府は驚き、憤慨するが、駐留する日本軍は宮廷周辺で完全武装で示威行進をして威圧。伊藤は案文の一部修正を以って韓国側を押し切り、第二次日韓協約いわゆる保護条約を結んだ。こうして同年末に統監府が設けられ、保護国化が一気に進む。国内での穏健な開明派の顔とはまるで異なる別人格の伊藤が存在した。

　高宗は列強が日本の野望に暗黙の承認を与えている、とは信じなかった。世界の世論に訴えれば、列強が日本に干渉するのでは、と期待をつなぐ。翌々年にオランダのハーグで開かれた第二回万国平和会議に高宗の信任状を持たせて密使を派遣。日本の不条理な圧迫を訴えようと図ったが、同会議は受け付けず、企ては失敗に終わる。

　伊藤はこれを逆手に取り、高宗に最後通牒（つうちょう）を通告して年少の皇太子への譲位を迫る。ハーグ平和会議の翌月、高宗は詰め腹を切らされ、譲位が決まる。その報せ（しら）に京城は騒然となり、数千人がデモを行って宮殿の前に座り込んだ。一週間後、新皇帝の名で韓国軍隊の解散が強行され、予（あらかじ）め武器弾薬を抑えられていた韓国軍は手も足も出ず、散発的な反抗で終わる。軍隊の解散後、山間部など朝鮮各地で「義兵」を名乗るグループが出没し、日本人を攻撃した。日本は「暴徒」討伐のため二万の軍隊を動員。数十の村々を焼き払い、朝鮮全土の約半分に兵士を駐屯させて威圧を加えた。

韓国は日本に財政を抑えられ、外交権を奪われ、内政を明け渡して軍隊まで解散。政府の手中に残るものは皆無に近く、伊藤統監は「日韓一家」という表現で日韓合邦を策し、保護国から併合へと政治的な圧力を加えていく。
○九年八月、「韓国併合に関する条約」が調印され、「韓国皇帝陛下ハ韓国全部ニ関スル一切ノ統治権ヲ安全且（かつ）永久ニ日本国皇帝陛下ニ譲与」（第一条）し、韓国という国家は消滅してしまう。時の小村寿太郎外相は事前にロシアの意向を打診し、イギリスの見解をもたたき、周到な根回しをすませた上で指令を下した。

第二節　第一次大戦と対中国「二十一ケ条要求」

古くは「東洋の君子国」と呼ばれ、日本は「徳義を重んじ、礼儀正しい国」と自ら任してきた。だが、明治維新このかたの日中関係を見る限り、看板に偽りありと恥じ入るほかない。かの日清戦争はさておき、第一次世界大戦の渦中のざっと百年余り前に中国に突きつけた「二十一ヵ条要求」がいい例だ。火事場泥棒さながらのはしたなさと批判されても仕方がなく、一部始終を知ると顔から火が出る思いをする。

一四（大正三）年に第一次大戦が勃発すると、日本は日英同盟を発動して対独参戦。開戦まもなくドイツの勢力下にあった山東省青島と南洋諸島を易々と占領し、漁夫の利を占める。翌年早々に突きつけた二十一ヶ条からなる中国への要求の主な内容はこうだ。

第一号　山東省のドイツ権益の処分についての承認。

第二号　旅順・大連租借期限と満鉄安奉線の期限を九十九カ年ずつ延長する。南満州・東部内蒙古の土地賃借・所有・取得権を始め各種の開発特権を日本人に認める。

（第三号・第四号略）

第五号　中国政府の政治・財政・軍事の顧問として有力日本人を招く。必要な地方の警察を日中合同とするか、警察官庁に日本人を雇い入れる。

北は満州から南は福建省に至る広範な地域での各種の権益要求がごたまぜに盛り込まれている。要求の主眼は第二号にあったが、いざ要求提出となると軍部や実業界などから我も我もと要求が殺到し、ふるい落としが利かなくなった。

日本側は袁世凱（えんせいがい）大総統に対し、この交渉を秘密にするよう要求した。だが、そうは運ばず、要求の内容が伝わると中国各地で強い反対運動が巻き起こる。日本は満州・山東などの駐屯軍を増強して威圧を加え、一方では英米などから批判が強い第五号を削除して多少は妥協。五月七日に最後通牒（つうちょう）（期限は九日）を発し、中国政府はやむを得ず受諾する。中国国民の怒りが爆発し、全国各地に排日運動が巻き起こって翌年末まで続いた。最後通牒の通達と受諾の日である五月七日と九日は中国では「国恥記念日」となる。

要求に基づく条約の締結後、中国側は日本の権益を合法的に妨害すべく条例を公布し、外国人への土地賃貸を死刑を以って禁止する。これにより、第二号の日本人に認められた「南満州・東部内蒙古での土地商租権」の規約は事実上空文となった。以後、この問題は後日の満州事変に至るまで日中両国の交渉案件として残る。

日本では政府の強硬方針を有力新聞が筆をそろえて支持した。大正デモクラシー運動の立役者・吉野作造さえ「事ここに至れば、最後通牒のほかにとるべき手段はない」と言明している。「内では進歩主義、外には帝国主義」という都合のいい使い分けが知識層でも通用する程度の国だった、と残念ながら認めるほかない。

この後、日本の中国干渉は一段と露骨になっていく。一五（大正四）年秋、大総統・袁世凱が皇帝就任を企てると、南方の革命派や清朝の復活をはかる満州の宗社党を応援。袁排斥の兵を挙げさせ、混乱に乗じて日本に都合のいい政権の樹立を企む。外務省は参謀本部や海軍軍令部と連絡をとり、満州や上海に気鋭の中堅将校らを派遣して排袁工作を進めた。工作資金として、満州方面に政商財閥・大倉組が百万円、山東・華南には「怪物」と呼ばれた新興実業家・久原房之助が同じく百万円を出した。時価に換算して十億円超にも及ぶ巨費である。日露戦争後、日本軍は特務機関や諜報機関などを利用し、中国各地の軍閥を己に都合よく操ろうと画策してきた。関東軍など植民地支配のための軍部出先が後に中央の統制を無視して独走する下地はこうして培われていく。

第三節　「五・四運動」と「三・一運動」

一九年一月、第一次世界大戦の決着をつけるパリ平和会議が開かれ、ドイツの山東省における権益が日本に譲渡される形勢となった。中国では山東問題をめぐる日本の「二十一ヵ条要求」により「国恥記念日」となった五月七日直前の同年五月四日、天安門広場に学生約三千人が集結し、空前の抗議行動を開始する。この「五・四運動」は日貨ボイコットや政府の弱腰を攻撃する反政府運動となって全国的規模に波及する。

中国の情勢は大きく変わりつつあった。大戦によって欧州列強からの圧力がゆるんで中国の民族産業は急速に発展し、紡織製品など軽工業を主とする日本商品と利害が対立する。日本やアメリカなど外国資本の投資も増え、天津・青島・武漢・上海・広東などを中心に産業労働者は三百万人にも達していた。

一方、文学革命の指導者・陳独秀らはデモクラシーとサイエンスの導入を主張して雑誌『新青年』を発刊し、魯迅（ろじん）や胡適（こてき）らも参加する。旧来の儒教道徳を奴隷の道徳と批判し、ロシア革命勃発後はマルクス主義の影響を強く受け、陳独秀は後に中国共産党初代委員長に就く。こうした動きを背景に、欧米式教育を受けたヤング・チャイナと呼ばれる新世代の指導層が育ってゆき、根強い反日運動を展開していく。


同じく一九年の三月一日、朝鮮では独立を要求する民衆運動が全土をゆるがす。韓国の人々が今日「建国の原点」とする「三・一運動」（または独立万歳運動）の勃発である。

この年一月、日本によって強制的に退位させられて幽閉状態にあった高宗が亡くなり、「毒殺説」や「自殺説」が飛び交う。それが朝鮮人の民族意識を刺激し、国葬当日の二日前の三月一日に各界名士が署名する独立宣言書が京城や平壌などで読み上げられ、「独立万歳」を叫ぶ民衆運動がおのずと起こり、たちまち各地に広がった。

当日、京城の中学以上の官私立学校の生徒たちは全て同盟休校してパゴダ公園に集結。一人の青年が壇上に立ち、

——我等はここに我が朝鮮の独立と、朝鮮人民の自由民たることを宣言する。

という一句で始まる宣言文を朗読。

——朝鮮の独立は我々の天賦の権利であり、世界改造の機運に順応する全人類の共存同生のための要求であり、何人といえども阻止できない。朝鮮併合は旧思想・旧勢力による日本政府の功名のために行われたもので、日本の国家的利益にも合致しない。

と論じた。宣言文は、また山東問題に呻吟する中国の国情に触れて、

——東洋安危の主軸たる四億万中国人民の、日本に対する危惧と猜疑とを益々濃厚ならしめ、その結果として、東亜全局の共倒と同亡の非運を招くことは明白である。

とも謳っている。

学生たちは「独立万歳」を高唱して京城市内のデモに移る。前皇帝の国葬に参加するため二十万の民衆が出京しており、膨れ上がったデモ隊は旧王宮や各国領事館そして朝鮮総

督府へ進路を向けた。

「独立万歳」の運動は三月十日ごろまでに朝鮮十三道の主要都市に広がり、さらに中小都市や村々へ波及する。日本軍はただちに出動して解散させようとし、蜂起が広がると発砲までして鎮圧に当たった。政府は兵員六大隊と憲兵・補助憲兵四百人を増派し、四月十五日には後の治安維持法を思わせる制令を発布。「政治に関する犯罪処罰」として「十年以下の懲役または禁錮」という厳しい措置を決め、力ずくで抑え込みを図る。

蜂起は四月末までに一応鎮圧されるが、二か月間に推定五十万人が示威行動に参加。騒擾は六百十八箇所で八百四十八回を数え、死傷者は朝鮮人民一千九百九十一人（官憲側百六十六人）、二万人近くが検事の取り調べを受けて一万人余（うち女性百八十六人）が起訴された。

九年前の「日韓併合」以来、日本は武断統治に徹し朝鮮総督には陸海軍大将を任じ、駐屯軍を指揮させた。憲兵が警察を動かし、軍人以外の官吏や教員らまで腰にサーベルを下げた。朝鮮人には、参政権はおろか言論・集会の自由さえ認められない有り様だった。

一方、併合直後から朝鮮全土で進められた土地調査事業は一八年に終わるが、これにより多くの農民が無法に土地を奪われた。朝鮮王朝の下では近代的な土地所有制度は存在せず、農民は代々土地を使用耕作し、貴族や官僚などが収穫の一定部分を徴収していた。この土地調査事業は土地所有者に対し一定期間内に所有地を申告させて所有権を確立する建前だったが、文字も読めぬ多くの農民には申告や所有地の立証が難しく、膨大な無申告地が発生。それらの土地は国有地に編入され、その一部は日本の土地会社や移民に安く払い下げられた。耕地も山林も失った農民は、高い小作料を払って不安定な小作人となるか、家郷を捨てて流亡するほかなかった。

日本の朝鮮統治は「三・一独立運動」の苦い体験から武断的傾向を改め、総督武官制や憲兵警察などを廃止。言論・出版・結社・集会の制限廃止など大幅な法制度改革を実施し、こうした文治政策への転換が一定の効果を挙げ、以後は抵抗らしい抵抗は現れていない。

一方、中国とはこの後、三一（昭和六）年の柳条湖・満鉄路線爆破という謀略事件をきっかけに満州事変が勃発。さらに三七年には北京郊外盧溝橋での日中両軍衝突を機に全面的な日中戦争に突入する。そこへ至る経緯は別稿で私なりに検証するつもりだが、安倍前首相は二〇一五年八月一四日に戦後70年の首相談話を発表。満州事変などに触れ、「（日本は）進むべき進路を誤り、戦争への道を進んでいった」と戦争責任をともかく認めた。

近年、中国や韓国との間で「歴史認識」をめぐる摩擦が際立つ。日本国内では十年近く前から「朝鮮人、シナ人をやっつけろ！」と叫び、日の丸を掲げて行進するヘイトスピーチによる極端なデモさえ東京をはじめ各地で起きている。そんな潮流も生まれる中、安保法制をめぐる国会論議で中国を仮想敵とあおるような安倍前首相の言動には危うさがつきまとった。明治維新の陰の功労者・勝海舟は日清戦争に終始反対し、こう述べた。

――おれは東洋の二字の上より何事も打算する。日本は支那と組んで商業・工業・鉄道なり、やるに限る。おれは維新前から日清韓三国合従の策を主唱したよ。

第八章　昭和ファシズムの仕掛け人

第一節　異色の二人の戦犯

先の大戦で日本が無条件降伏をすると、連合国側は極東裁判で「重大戦争犯罪人」を裁いた。元大臣や元将軍らが居並ぶA級戦犯容疑者二十八人のリストで、異色の二人が目を引く。一人は元陸軍大佐・橋本欣五郎で、もう一人が右翼思想家の民間人・大川周明。両人は昭和ファシズムの仕掛け人と目されたのだ。裁判の結果、橋本は終身禁固刑（後に仮

橋本欣五郎（提供：朝日新聞社）

釈放）となり、大川は精神障害が認められ訴追免除となった。

春秋の筆法で言うなら、ケマル・パシャによるトルコ革命の大成功が橋本欣五郎に「昭和維新」の夢を抱かせた。橋本は大川周明らと結んで一九三一（昭和六）年に「三月事件」や「十月事件」で軍事クーデターを画策し、翌年の「五・一五事件」や五年後の「二・二六事件」へ見本を呈示。日本のファシズム傾斜へ大きな影響を及ぼした。

橋本は陸軍少佐当時の二七年から二年半ほどトルコ大使館付武官として赴任。第一次世界大戦の戦禍をくぐり抜け奇跡的に誕生した新生トルコ共和国初代大統領ケマル・パシャに心酔し、その革新的武断政治に傾倒する。帰国後すぐ参謀本部に入って中佐に昇進すると、中佐以下の中堅将校ら約五十人を集めて「桜会」を結成。綱領に「国家改造を目的とし、武力行使も辞さず」と謳い、「昭和維新」の実現へ動き出す。

橋本が傾倒したケマル・パシャについて。彼がもしいなかったなら、今日のトルコは存在していない。欧米列強に屈服し、領土も人口も極く僅かな弱小国に転落していたはずだ。ケマルは軍人・政治家として史上稀な偉業を成しており、評伝を読むと二十世紀の一大英雄児と手放しで賞賛したくなる。

オスマン帝国当時のトルコは第一次世界大戦で独・墺（オーストリア）の枢軸側に与し（くみ）て参戦。英・仏連合軍はダーダネルス海峡の強行突破を図り、海峡西側のガリポリ半島へ上陸作戦を企てる。十か月に及ぶ激闘の末、連合軍側は多大の損害を出して撤退。オスマン帝国軍の前線指揮官ケマルは「救国の英雄」として一躍名を高める。

やがて独・墺が降伏する中、保身のためなら国を売りかねないトルコ皇帝と決別。国民軍総司令官～共和国初代大統領に就いたケマルは国民を疲弊（ひへい）と失意のどん底から奮い立たせ、侵攻したギリシャ軍を相手に奇跡に近い軍事的勝利を収め、連合国側と対等の立場でローザンヌ条約を結ぶ。国内の反対派を一掃し、国家の近代化を図る諸施策を次々と断行して「アタチュルク」（トルコの父）と仰がれる。彼は明治維新に成功した日本を敬い、明治天皇の肖像写真を執務室に掲げていた。

私は十年前、トルコ国内を十日間ほど旅行している。重宝したのは、店舗の看板がローマ字表記だったこと。アラビア文字からの切り替えはケマル自身の決断による。彼は全国民にローマ字の学習を強制し、自ら街頭に出て大衆の教化に努めた。この施策が国民の識字率向上や教育の普及に役立ち、民族意識の高まりにも大いに貢献する。

アラビア文字の追放はイスラム教制御への思惑もからんでいた。現地でのガイド役はトム・クルーズ似のハンサムな青年で、夫人は日本人女性。日本語がぺらぺらで当今トルコ人のイスラム信仰を指し、

――「なんちゃってイスラム」だよね。

と茶化して言ってのけた。トルコ人のイスラム信仰はケマルの世俗化政策によってかなり様変わりし、礼拝や禁酒などの戒律順守は中東アラブ諸国と比べかなり緩い。そして、その世俗化こそが現代トルコの一定の繁栄を支えているようだ。ついでに言うと、トルコの人々の日本贔屓（びいき）は聞きしに優り、若年人口の多い社会は活気に富んでいた。

第二節 「桜会」のクーデター計画

本題の橋本へ話をもどす。三〇（昭和五）年にトルコから帰国し参謀本部ロシア班長となった後、彼は中堅将校の集まり「桜会」を拠点にトルコのケマル張りの軍人独裁政権による国家革新を構想する。橋本は大正デモクラシーの勃興（ぼっこう）に危機感を抱き、政党内閣や議会が軍縮へ動こうとする気運に強く反発した。

翌年三月、右翼の理論家・大川周明らと政権奪取をねらうクーデター計画を練る。民間右翼などを動員する一万人の大デモで議会を包囲し、政友会・民政党両党本部や首相官邸を爆破。軍を非常呼集して威圧し、軍人首相に大命を降下させる計画だった。橋本は二宮治重中将（参謀次長）・杉山元中将（陸軍次官）・建川美次少将（参謀本部第一部長）・小磯国昭少将（軍務局長）ら陸軍幹部に計画を打ち明け、内々の支持を取り付けていた。だが、首相候補に擬した陸軍大臣・宇垣一成が土壇場でぐらつき、小磯が中止を申し入れ、事件は雲散霧消する。この件は国民一般に向けては第二次大戦後までひた隠しにされた。

石原莞爾

次いで同年十月。今回も桜会が中心となり、大川らと組んで大がかりなクーデター計画を練り上げる。桜会など同志の将校百余名が中隊十余の兵士を出動させ、首相官邸・警視庁・陸軍省・参謀本部などを襲撃。首相ら要人を殺害し、荒木貞夫中将（教育総監部本部長）に首相就任の大命降下を請う筋書き。後の「二・二六事件」を連想させるもくろみだが、橋本ら佐官級中心の陰謀で、前回の経緯に懲り陸軍中枢部には内密にしてあった。なぜ発覚したかは諸説あって、はっきりしない。

計画では首相荒木・蔵相大川・内相橋本・外相建川らが候補に割り振られていたが、荒木は担がれただけで相談には加わっていなかったという。橋本らは関東軍とも密接に連絡をとっており、高級参謀・板垣征四郎（大佐）や作戦主任・石原莞爾（かんじ）（中佐）らが意を体して現地で工作活動に入っていた。

この「十月事件」のもくろみは事前に陸軍省や参謀本部の中枢に漏れ、橋本ら桜会の主要メンバーは一斉に憲兵隊に検挙される。だが、関東軍が橋本らの支持に動いていたことや、杉山陸軍次官ら首脳部が三月事件で橋本らと組んだ負い目があり、厳罰方針を妨げた。桜会一同は重謹慎程度の軽い処分を受けた後、めいめい分散させられ、地方勤務や満州勤務に飛ばされて幕となる。

陸軍首脳はクーデター計画を知ると、首相候補に担がれた荒木に橋本らの慰撫（いぶ）を頼んだ。当時、橋本らは維新の志士を気取り、政商筋からの大金を懐に新橋や築地の待合などで豪遊していた。荒木は橋本の代理格の長勇（ちょういさむ）少佐（後に中将・沖縄防衛軍参謀長）と待合で会って杯を交わしながら慰撫説得に努め、橋本ら共々の翻意へこぎつける。この長という男は公務を放り出して待合に一か月半も流連（いつづけ）をする無軌道ぶりで、陸軍の軍紀が当時いかに腐敗していたかが分かる。橋本と長は憲兵隊に一応検束されるが、憲兵隊長の官舎で隊長夫人と令嬢が恭しく酒食の接待までする気の使いようだった。橋本は人格に難があり、身辺が清潔だった本尊のケマル・アタチュルクとは月とすっぽんの観がある。

事件収束後、南次郎陸相（大将）は閣議でこう報告した。

――単に憂国慨世の熱情から出たもので、他意はなかった。ただ放置しておくと、外部の策謀に利用され、軍紀を破る行為ともなり易いので、保護の目的で収容した。

国を憂う思いゆえなら犯罪行為でも許されるという思い上がった考え方は、法治国のものではない。陸軍主流がここまで堕落したのは、統帥権独立の名の下に軍を国法の外に位置づけ、特別な存在に仕立てたせいではないか。

橋本と手を組んだ人物・大川周明について。法学博士で拓殖大学教授や東亜経済調査局理事長を務め、右翼理論家の第一人者を任じた。東大哲学科に学んでインド哲学を専攻し、アジアの植民史を研究するうち、アジアの解放と復興を希い、

――アジアを侵略しているのは西欧であり、その侵略政策を停止させるためにアジアに革命を起こし、両者を対等にする。平等になった両者が手を結んだ時、人類に平和と光明が到来する。それにはまず日本を革命し、アジアの指導勢力とせねばならない。

と説いた。その革命観はアジアと日本の思想を混合し、精神主義を強調する余り、神がかり的に傾く。大正半ば上海に在住する右翼理論家・北一輝を日本に呼び戻し、北の『日本改造法案』の流布に努めるが、両雄並び立たず、まもなく決別する。北の構想は、

――未曽有の国難打破のため、天皇を奉じ戒厳令を布いて国家改造を行い、特権階級を

排除して「合理的国家、革命的大帝国」を建設。「亜細亜連盟」の旗を掲げ、英露の侵略を防いでアジアの解放を期す。

というもの。北の思想は西田税（みつぎ）（陸軍騎兵少尉）ら過激思想の青年将校の間に支持を広げ、西田は大正末に軍人をやめて右翼運動に合流。北の片腕格となり、後輩の青年将校らに革命熱を吹き込み、後年の「五・一五事件」や「二・二六事件」を招く一因を成した。

第三節　謀略による日中十五戦争の幕開け

橋本らが検挙される一ヵ月前の三一年九月一八日夜、奉天北郊の柳条湖（りゅうじょうこ）で満鉄線が爆破される。中国側が仕掛けたとして、日本の奉天独立守備隊は中国側兵舎のある北大営をただちに攻撃して制圧。また第二師団が奉天城を攻撃し、翌朝までに手回しよく占領した。世に言う満州事変の勃発で、以後敗戦の日まで続く日中十五年戦争の幕開けとなる。

実はこの満鉄線爆破は当の奉天独立守備隊が自ら謀略的におこなったもので、奉天総領事館は幣原外相に宛てて
——事件は軍部の計画的行動から出たものと推量される。
と打電。幣原は南陸相を詰問し、時の若槻民政党内閣は事変不拡大を決定する。関東軍司令部には陸軍省と参謀本部から不拡大の制止命令が入った。しかしながら、出先の現地軍隊がこの命令に背いて暴走し、勝手に戦火を拡大していく。戦闘開始から半年で満州のほぼ全域を制圧し、傀儡国家・満州国の建国へと以後画策が進む。
関東軍が事を起こすのは、参謀本部の橋本と現地の板垣・石原との了解事項だった。満鉄線爆破は板垣・石原の関東軍両参謀による陰謀で、関東軍司令官・本庄繁中将は全く知らされていず、当初は大いに迷ったらしい。だが、板垣らの熱心な説得で決意を固め、幕僚と共に奉天に入城。陸相と参謀総長あてに「三個師団の増援」を要請する。本庄は朝鮮軍司令官・林銑十郎中将にも来援を打電。度重なる要請に押し切られ、林は禁じ手の独断出兵に踏み切り、以後「越境将軍」の異名をとる。政府や軍中央も追認せざるを得ず、閣議で正式に朝鮮軍の満州派遣と戦費支出を認めた。ここでも、当時の日本は果たして法治国家だったのか、と首をひねりたくなる。

首謀者の関東軍両参謀について言うと、階級は一つ上だが板垣は思想的に筋金入りの石原に押され、作戦構想などは一任していたという。石原は陸士～陸大に学んだ後、歩兵大尉の三十代初めに在家仏教運動家・田中智学の国柱会に入り、強固な日蓮信者となった。三年後にドイツへ留学し、ドイツ式の演繹的な思考法を応用して独自の戦争史観を確立する。日蓮が予言した「前代未聞の大闘諍」が世界最終戦という形で実現し、天皇を中心とする大平和の時代に入る、と説いた。その構想の核心は

――日本が生きる唯一の途は満蒙開発の断行にある。

という主張だ。次の戦争は〈東洋を代表する日本と西洋を代表するアメリカとの間の未曾有の決戦〉と予測し、その決戦を勝ち抜くには、日本の満蒙領有が絶対に必要、と説いた。満蒙を陸軍の支配下においておけば、対米持久戦になっても自給体制がとれる、という理屈からだ。そのための具体的な作戦計画を入念に策定し、満蒙の統治に関する綿密な調査研究を満鉄調査部に依頼している。

石原構想は部分的に鋭い考察を秘め、関東軍の板垣高級参謀らを魅了し、軍部内に賛同～同調者を増やしていく。しかし、その発想には日本の都合しか考えず、侵略される中国側の事情を全く考慮しない身勝手さがあった。中国への過小評価は皇国史観に毒された戦

前日本人の多くに共通する欠点と言っていい。

なにより石原構想の最大の欠陥は、国際法と国際政治の観点がすっぽり欠落している点にあった。日本は二二（大正十一）年、中国の領土保全・機会均等に関する九か国条約に調印している。また二八（昭和三）年には日本を含む十五ヵ国がパリで不戦条約（ケロッグ・ブリアン条約）に調印ずみだ。石原構想を実現しようとすれば、これらの諸条約に違反することになり、日本は全世界から侵略者として非難弾劾される恐れが十分あった。

世界の広さと深さに無頓着な独善性は、彼のドイツへの傾倒と無縁でないようだ。石原を含む日本陸軍の高級将校の多くは一般中学を経ないで陸軍幼年学校に学び、視野の狭い教育環境で育つ。幼年学校では英語ではなくロシア語・ドイツ語・フランス語・中国語を外国語教育の中心にしたが、これにも問題がある。英米両国はコモンセンス（常識・判断力・思慮分別）を重視し、常に世界的観点から物事を考えようとする。だが、独・仏・露などは政治地理的なハンデもあり、往々そういう大きな観点に欠けるきらいがあった。

振り出しの東京裁判に戻る。満州事変を起こした張本人の石原は運良く戦犯指名から外れ、なんと検察側証人として出廷。幕末のペリー来航を引き合いに、

——日本に略奪的な帝国主義を教えたのはアメリカ等の国だ。

と持論を展開し、検察側を鼻白ませた。

石原の訴追免除には、日中戦争が始まった三七年当時の関東軍参謀部門での上司・東条英機との確執が幸いした。持ち前の強烈な個性から公然と東条を無能呼ばわりして閑職へ左遷され、太平洋戦争の開戦前に予備役編入。周知の通り、東条は開戦時の首相・陸軍大将で、東京裁判で絞首刑に処されている。人間の運命の皮肉さを感じさせるが、日中戦争の展開ともからむその間の事情は以後の章で詳しく説明する。

第九章　昭和恐慌と社会不安

第一節　経済政策の失敗と工業恐慌・農業恐慌

昭和という時代の幕開けは経済恐慌で始まった。一九二七（昭和二）年春に中小銀行の経営不振による連鎖倒産が発生。三井・三菱に次ぐと言われた新興財閥・鈴木商店が放漫経営から破産し、縁の深い台湾銀行まで破綻（はたん）に瀕（ひん）する金融恐慌に陥る。二九年一〇月にはニューヨーク株式市場で大暴落が起き、たちまち諸外国に波及し未曾有の世界恐慌がまき起こり、日本にも大不況と深刻な経済不安が襲来する。

その渦中の翌年一一月一六日早朝、富士紡川崎工場の大煙突（高さ三十九メートル）天辺に突如、赤旗がひるがえる。もうもうと吐き出される黒煙の中に突っ立つ〝エントツ男〟は地上に向け、声を張り上げた。

――富士紡の兄弟姉妹よ、我ら争議団は諸君のために血みどろになって闘っている。諸君は怯（ひる）むことなく我々の後に続け。

アジ演説をおこなった元祖エントツ男は北海道生まれの労働運動家・田辺潔（二一八歳）といい、争議団差し入れの五日分の握り飯やお茶などで頑張り続け、滞空時間は百三十時間二十二分に及んだ。見かねた地元の川崎警察署長が仲裁に入り、争議団・会社側とも矛（ほこ）を収め、ようやくエントツ男は地上に降り立つ。

この年の繊維業界の不況は深刻で、四月五日には温情主義で知られる鐘紡が四割減給を発表。七万八千人が参加するストライキが起き、妥結するまでに丸二か月を要した。五月一日の第一一回メーデーには川崎で竹槍（たけやり）武装デモが行われ、極左冒険主義の兆しが表面化する。九月二〇日に東洋モスリン亀戸工場が五百余人の整理を発表し、労組はストに突入するが、二ヵ月後に敗北して終結した。

日本経済は「昭和恐慌」のどん底を迎えていた。この年一月、時の民政党・浜口雄幸内閣は十三年ぶりに金本位制に復帰する「金解禁」に踏み切り、デフレ政策を実施する。井上準之助蔵相は財政緊縮を唱え、翌年度の予算で一億六千万円の緊縮と既に計画済みの八千五百万円の公債発行の全廃を行う。金解禁で金の激しい流出が起こり、金輸出禁止が時間の問題となると、今度は猛烈なドル買いが起こった。金輸出が禁止されれば、円の価値が下がる。その前にドルを買っておかねばという思惑から、九月下旬のわずか一週間で二億円ものドル買いが行われた。

「台風の真っ最中に雨戸を開け放したようなもの」と酷評されたちぐはぐなこの経済政策の失敗により、中小企業の倒産や大企業の生産制限が多発。同年中につぶれた会社は八百二十三社、減資した会社が三百十一社に上った。金解禁と緊縮政策が国民生活に与える影響はたちまち現れ、翌年夏には農村の窮乏が始まり、陳情団が東京に押し寄せてくる。

行政整理によって多数の官吏が失職し、民間の失業者も巷(ちまた)にあふれた。不況で倒産する企業が増えて失業者は増大し、地方に帰村する失業者の群れは汽車賃がないため徒歩で帰るほかなく、新聞は「東海道五十三次が時ならぬ賑(にぎ)わいを呈した」と報じた。同時にこの失業問題は深刻な就職難時代を招き、東大卒業者の就職率は三割程度がやっとで保険の外交員や小学校の代用教員になるありさま。不況による自殺や心中は毎日のように新聞の社会面をにぎわし、強盗や殺人など凶悪事件も目立って増えた。

政府は産業合理化の名のもとに独占企業に対して賃金引き下げを勧め、前述のように鐘紡などが大幅な賃下げを実施。こうした工業恐慌は農村の恐慌ともからみ合い、より深刻化していく。農産物価格の下落は、アメリカの不況の打撃もあって先ず繭の値段に現れた。そのため全農民の四〇％を占める養蚕農家が酷い窮乏に陥る。長野県の養蚕地帯では各農家は現金収入がないため、「五銭」「十銭」と記した紙を葬式の香奠に持ってゆき、後ほど収入があった時に支払うという習慣が一般化した。

その年の秋は大豊作が予測されて米価が大暴落し、いわゆる豊作貧乏を来たす。ところが、実際には東北や北海道は未曾有の凶作に見舞われ、農家の人々はジャガイモと屑米を混ぜて食べ、辛うじて命をつないだ。東北地方では娘たちの悲惨な身売りが相次ぎ、欠食児童が激増する。

一方、工業面では財閥資本などによる生産制限が行われて生産品の価格は高止まりのまま据え置かれ、下落した農産物価格との差が増え、農民の窮乏は一層ひどくなる。こうした工業面の規制は独占資本相互の間の生産割り当てや価格協定に販売協定といったカルテル（企業連合）行為となって現れる。浜口内閣の産業合理化政策はこれを強力に推進したため、三井・三菱・住友など日本の全産業を支配する財閥資本は安泰となり、同時にその他の中小財閥との対立がひどくなっていく。こうした傾向が後年、右翼テロによって大財閥の代表者が狙（ねら）われる一因を生んだ。

第二節　右翼のテロで浜口首相遭難

未曾有の経済恐慌で富士紡川崎工場にエントツ男が出現する前々日の三〇年一一月一四日朝、世間を震撼（しんかん）させる凶行が突発する。地方出張のため東京駅ホームを歩行中の浜口首相に右翼団体「愛国社」社員・佐郷屋留男（二三歳）が腹部をめがけてピストルを発射。東大病院で緊急手術を受けた浜口は一命をとりとめるが、経過は良くなく翌年に死去し、右翼のテロによる昭和に入って最初の犠牲となった。逮捕された佐郷屋は死刑判決を受けるが、恩赦で無期懲役になり、十年後には仮出獄し戦後は右翼活動に復帰している。

浜口雄幸

犯行の動機は、浜口内閣が緊縮政策で不景気～社会不安を招いたこと、統帥権を干犯して軍縮条約を締結したこと、の二点とされる。この統帥権とは軍隊の最高指揮権を意味し、戦前の旧憲法はこれを天皇の大権（第十一条）と定めていた。一般国務から独立し、発動するには陸軍参謀総長・海軍軍令部長が参与する決まり。この折に問題視された統帥権干犯とは、ロンドン海軍軍縮条約の締結をめぐり、内容に大不満の海軍軍令部の反対を押し切って浜口内閣が調印したことを指す。これは天皇の統帥権を侵犯するものだ、として軍令部をはじめ野党の政友会や右翼などが攻撃し、政争化していた。

ちなみに、この統帥権干犯問題は安倍首相の「歴史認識」を問いかける形で二〇一五年

三月三日の衆院予算委員会で取り上げられ、枝野民主党幹事長（現立憲民主党首）が

――統帥権干犯問題と（陸・海相を現役軍人のみから選任する）軍部大臣現役武官制で、我が国が国策を誤った。教訓にすべきだと思うか。

と質問。安倍首相は「その通りだと思う」と答弁している。

遭難した浜口首相は、いかつい顔立ちや剛直な性格から「ライオン宰相」と仇名され、民衆の間で人気が高かった。維新の志士・坂本竜馬や自由民権運動のリーダー板垣退助を生んだ土佐の出身で、大蔵官僚上がりながら反骨心に富む人となりで知られた。山県有朋らが操る藩閥官僚政治への対抗勢力・憲政会の幹部を長らく務め、憲政会の後身である民政党の初代総裁に就いた。

浜口は維新の元勲とされる長州や薩摩出身の閥族らが隠然と勢力を張る枢密院とは不仲だった。その枢密院が浜口をいじめにかかり、海軍軍縮条約をめぐって煩瑣な資料要求を迫っても強い態度で拒んだ。世論も政府に有利で、新聞はロンドン条約賛成に傾いていた。『東京日日新聞』（現在の『毎日新聞』）は

――枢密院が諮詢案を否決すれば、政府は天皇に上奏して聖断を仰ぐべき。

――枢密院の議員は内閣の奏請によって罷免できるから、差し替えればいい。

と論陣を張って内閣を援護。枢密院も議員の多数が賛成に回り、条約批准がかなった。浜口首相を襲い後日に死に至らしめた右翼団体員・佐郷屋留男の処分が軽かった事実は見逃せない。貴族出身の開明的政治家で枢密院議長や政友会総裁・首相を務めた西園寺公望は浜口に同情的だった。西園寺の秘書・原田熊雄は著書『西園寺公と政局』にこう記す。

――由来裁判所は左傾に対して徹底的に調査をすすめるけれども、右翼に対してはすこぶる緩慢であり、故意に多少庇（かば）う傾向がある。

原田が指摘する傾向は戦前だけに止まらず、戦後の日本の法曹界にも通ずる一般的傾向と言っていい。左傾は反体制を意味するが、右傾は体制補完へ通じるからであろうか。

第三節　「血盟団事件」で要人暗殺相次ぐ

浜口雄幸首相の遭難場所の東京駅頭では、九年前の二一（大正一〇）年にも時の首相・

原敬が鉄道省大塚駅員・中岡艮一(こんいち)（一八歳）に短刀で刺殺されている。日付こそ違え同じく一一月中旬の金曜日に突発した凶行だったので、両遭難事件の相似性が当時話題になった。浜口首相の時は大不況が深刻化していたが、原首相の場合も第一次大戦後の不況が到来。神戸の川崎・三菱両造船所職工の「三万人スト」で軍隊が出動するなど社会不安の様相が色濃かった。浜口首相を襲った佐郷屋の場合と同様に、原首相刺殺の犯人・中岡の最終処分が意外に軽かったのも軌を一にしている。

本題の昭和恐慌に話を戻す。浜口首相の遭難は経済恐慌による恨みを一身に浴びる形となったが、犠牲は彼だけには止まらなかった。浜口内閣は緊縮財政の赴くまま三〇（昭和五）年、ロンドン海軍軍縮条約に調印。その条約内容が米国や英国に譲歩し過ぎだとして、ロンドン会議専門委員の軍令部参謀・草刈英治少佐が抗議の割腹自殺を遂げる。それが海軍の若手将校や右翼陣営を刺激し、新たなテロ事件を呼び起こす。

浜口首相遭難の翌々年の三二年二月九日に浜口内閣当時の蔵相・井上準之助が東京・本郷の街中で、また三月五日には三井財閥の総帥・団琢磨(だんたくま)が日本橋の三井本館玄関先で、それぞれピストルで射殺される。その場で逮捕された犯人は前者が小沼正、後者は菱沼五郎という、いずれも二十歳そこその農村青年だった。

取り調べの末、小沼や菱沼を教唆した日蓮宗僧侶・日召（にっしょう）こと井上昭らによる暗殺テロ計画「血盟団事件」の全容が明らかになる。井上は明治末に満鉄に入って満州へ渡り、二〇（大正九）年までシナ浪人として暮らす。帰国後に仏門に入って修業し、日本精神に基づく国家改造の信念を固める。茨城県大洗町に立正護国堂を開き、小沼や菱沼ら門下生を養成。海軍の過激派・藤井斉中尉や後の「五・一五」事件首謀者の一人の右翼思想家・橘孝三郎らと知り合い、テロ実行へ突き進んだ。

井上は政党政治家や財閥重鎮および特権階級など二十余人を「私利私欲に没頭し、国防を軽視し国利民福を思わぬ極悪人」と決めつけ、犬養毅・西園寺公望・幣原喜重郎・若槻礼次郎・牧野伸顕らの名を列挙。門下の小沼や菱沼による「一人一殺」の実行で、前記のように井上準之助や団琢磨が凶弾に斃（たお）れる惨事を招いた。

裁判の結果、井上・小沼・菱沼は無期懲役の判決を受けるが、八年後には恩赦でいずれも出獄し、社会復帰をしている。海軍側では首謀者・藤井中尉が上海事変で出征～戦死した経緯もあり、逮捕～処罰者は出なかった。日本の司法の「右傾には甘い」通弊がまかり通り、次章で顛末（てんまつ）を詳しく記すが後の「五・一五」事件や「二・二六」事件という軍部による重大なテロの発生を許す下地をつくった。

井上と団の暗殺には金解禁問題が深く関わっていた。前にも記したように、井上が蔵相として決断した金解禁は大変まずい時期に行われた無謀な措置だった。金の激しい流出〜猛烈なドル買いが起こり、そのドル買いの行為は自己の利益のために日本から金を失わせ日本経済の危機を拡大するものだ、と世間の非難を浴びる。「ドル買いは国賊だ、非国民だ」とさえ極論される中で、ドル買いの総本山のように言われたのが三井財閥である。昭和五年八月から翌年一二月までの正金銀行のドル売却高七億八千万円のうち、三井銀行・三井物産・三井信託の三社分が一億九百万円を占めているから事実無根ではないが、住友や三菱も相当買っており、三井だけを悪玉視するのは当たらない。三井総帥・団琢磨が襲われた血盟団事件の短絡的なずさんさはこの一事でもうかがえる。

団琢磨

実は三十余年前だが、私は団琢磨を射殺した菱沼五郎と取材で対面している。無期懲役判決から一転~恩赦で出所して小幡五朗と改名。右翼運動から離れた戦後に水産業で一家を成し、県会議長や県漁連会長の要職も務めた。腰が低く、実直そうな印象を受けたが、かつての血気の日々を回想して

——娘が身売りしなければ生きていけないほど、当時の農村不況はひどかった。非常手段を思い詰めるには思い詰めるだけの社会的背景が、あの時代にはありました。

と、小声でつぶやいた。

私は新聞記者当時の一時期、作曲家の団伊玖磨（いくま）氏と親しくし、銀座でお酒をごちそうになり、湘南の海を見下ろす素敵な別荘にも招かれた。名エッセー「パイプのけむり」そのままにゆったりとしたお人柄は、悠揚たる昔日の三井総帥・団琢磨のお孫さんだけはある血筋をしのばせた。そんな個人的感慨もあって、仇に当たる人物とたまたま顔を合わす羽目となり、前夜から極度に緊張したのを思い出す。

戦前右翼の生き残りでは、かのロッキード事件で起訴された政界のフィクサー児玉誉士夫も忘れられない。戦中に上海に児玉機関を作って軍需物資を調達し、A級戦犯で巣鴨入りするが放免~出所。中国から持ち帰った巨額の資産と暴力的畏怖感を武器に日本の保守

政界の黒幕として威を揮う。当時は自民党役員だった中曽根康弘元首相も深い関係を疑われ、国会で証人喚問を受けた。私は世田谷区等々力の児玉の豪邸の張り込みなど身辺取材に体を張ったが、事件に憤慨する余りセスナ機による児玉邸をめがけた特攻～自爆テロなども発生。なんともいえぬ不気味さがつきまとい、気骨の折れることこの上なかった。

第四部　軍部独裁で破局へ突入

第十章　「問答無用」の時代へ

第一節　「五・一五事件」勃発〜政党政治消滅へ

一九三二（昭和七）年五月一五日、世に言う「五・一五事件」が勃発する。先々月号で述べた井上準之助前蔵相や三井総帥・団琢磨が相次ぎピストルで射殺される「血盟団事件」が起きた二か月後である。日曜日の夕方を狙った凶行で犬養毅首相が官邸で殺害された。襲ったのは、三上卓・山岸宏の両海軍中尉をはじめ海・陸の軍人計九名。

夕方五時半、犬養は家族らと食事中だった。九名は警備の巡査一人を射殺し、一人に重傷を負わせて邸内に侵入。ピストルを突きつけられた犬養は落ち着いた態度で一同を客間に導き、

――話せばわかる。

と声をかけるが、山岸が

――問答無用。撃て！

と言い、応じて三上や黒岩勇海軍予備少尉がピストルを発射。犬養が斃(たお)れるのを見届けて、一行は立ち去った。この「話せばわかる」と「問答無用」は当時、デモクラシーとファシズムの精神を端的に示すものとして、はやり言葉となる。

海軍士官や陸軍士官候補生に民間右翼ら総勢三十名ばかりの一味は、四組に分かれて首相官邸のほか内大臣官邸・政友会本部・三菱銀行を狙い、一つに合流して警視庁を襲う計画だった。これと別に農本主義の右翼思想家・橘孝三朗が率いる農民決死隊が市内や近郊の変電所六カ所を襲い、東京を暗黒にするもくろみもあった。

だが、犬養の殺害以外はこれという成果がなく、内大臣官邸では手榴弾(しゅりゅうだん)の投下で巡査一人が重傷を負ったが、内相・牧野は無事。政友会本部その他も手榴弾で小さな破損を受

けた程度で、変電所も一部は壊されたが東京が暗黒になるようなことはなかった。

憲兵隊に自首した一味は海・陸軍の両軍法会議と民間人の裁判と別々に裁かれる。各新聞は連日のようにその模様を報じた。

――農村の疲弊、漁村、商工業者、労働者（中略）の窮乏を見、（中略）東北地方の飢饉を聞いて国軍存立の為にも一時も早く現状打開の必要を感じ（後略）。（陸軍公判、七月二六日付『東京朝日』）

犬養毅

被告たちは行動に至った胸の内を縷々陳述し、新聞はその主張や行動を支持するかのように詳しくそのまま伝えた。被告の青年将校らから清新な印象を受けた国民は、彼らに現状変革の期待を寄せる。被告への同情は減刑嘆願書の形で広がりだし、一種の国民運動にまで拡大し始める。八月下旬に六万通ほどだった嘆願書は二か月余で百万通を突破し、爆発的に増えていく。埼玉県の東武線踏切で十九歳の女性が飛び込み自殺をし、「五・一五の方々を死なせたくない」という遺書が見つかる一件さえ起きた。言論機関も国民一般も常軌を逸していた、と言うほかない。

機を逃さず、荒木貞夫陸相はこんな談話を出す。

――純真なるこれ等青年が、かくのごとき挙措に出でたる心情を考えれば、涙なきをえない。真にこれが皇国のためになると信じておこなったことであるが故に、（中略）再思三省を以って被告の心事を無にせざらんことを切望する。

事件には陸士在校の士官候補生十一名が加わり、反乱罪を犯して犬養首相を殺害している。本来なら、責任者として辞職せねばならないところだ。それが責任逃れと大臣留任のために、被告たちを「純真」とか「皇国のため」とかの美辞麗句で飾り、テロリストたちを愛国の志士さながらに持ち上げた。これでは殺された犬養首相の方が悪人あつかいになり、本末転倒もはなはだしい。

翌年秋、軍法会議や裁判で判決が下る。橘の無期懲役（六年後に減刑で仮出所）が一番重く、他は禁錮（きんこ）十五年（後に減刑）から四年程度にわたる比較的軽い処罰におわった。

「五・一五事件」の影響は深刻だった。テロによる脅しが利き、犬養の後任には以前に海相を務めた海軍大将・斎藤実を持ってくるほかなく、以後一九四五年の敗戦まで政党内閣が復活することは一度もなかった。

第二節　「二・二六事件」勃発～反乱軍が中枢部を一時占拠

この事件から三年後の三五（昭和十）年八月十二日白昼、陸軍省軍務局長・永田鉄山少将が局長室で執務中、「天誅（てんちゅう）！」と叫んで襲いかかった福山連隊付陸軍中佐・相沢三郎に軍刀で斬殺（ざんさつ）される。相沢は剣道の達人で、狂信的な軍革新思想の信奉者だった。陸軍切っての秀才と言われた永田を反対派と敵視しての凶行である。

当時の陸軍には皇道派と統制派という二つの派閥があり、前者は天皇親政による国家革新を目指す過激な青年将校らで、後者は合法的な国家改造と規律の粛正を主張する軍中枢エリートが中心。事件には両派の争いが伏在し、逮捕された相沢は軍法会議で死刑になっる。
た。この異常な事件が青年将校らを奮い立たせ、世上名高い「二・二六事件」を誘発す

翌三六年二月二十六日、東京は前日の夜半から激しい吹雪に見舞われ、三十年ぶりという大雪になった。明け方三時ごろ、雪を蹴立てて、数百名もの兵隊が完全武装で市内の数方向をめざして行進。五時ごろを期して、政府要人の暗殺が一斉に決行される。

首相官邸には香田清貞大尉や栗原安秀中尉らが指揮する歩兵第一連隊の兵約三百名が襲撃。重機関銃七・軽機関銃四・小銃百数十などを備え、警備の警官四名を射殺あるいは刺殺し、岡田啓介首相（元海軍大将）を捜した。たまたま官邸に泊まりあわせた岡田の義弟・松尾伝蔵予備陸軍大佐が取り違えられて射殺され、岡田首相は奇跡的に難を免れる。

斎藤実内大臣（元首相・元海軍大将）邸には坂井直中尉らが率いる歩兵第三連隊の兵百五十が重機四・軽機八などを携えて向かった。物音で寝室から出てきた斎藤をピストルと機関銃で射殺。全身四十七ケ所に弾丸を浴びせ、数十ケ所に斬りこむ残酷さだった。

斎藤邸を襲った一隊のうち高橋太郎少尉と安田優少尉は軽機四、小銃十に兵約三十を連れ、軍用トラックで荻窪の渡辺錠太郎陸軍教育総監（陸軍大将）邸を襲撃。渡辺は乱入を知ってピストルで応戦し、機関銃の乱射に遭って斃（たお）れる。

高橋是清大蔵大臣私邸には中橋基明中尉らが指揮する近衛歩兵第三連隊の兵約百二十が軽機四、小銃百で武装して侵入。就寝中の高橋に「天誅！」と叫んで布団をまくり上げ、ピストルで射殺したうえ刀で斬りつけている。

鈴木貫太郎侍従長（元海軍大将）官邸には安藤輝三大尉らが率いる歩兵第三連隊の兵約二百が重機四、軽機五、小銃百三十という重装備で襲撃。鈴木と夫人を見つけ、「昭和維新のため、一命を頂戴します」と下士官の一人がピストルを二発発射。別の下士官も二発発射し、さらに止めを刺そうとしたが夫人が「それだけはやめて」と手を合わせて懇願し、兵らは見合わせて引き揚げた。鈴木は重傷だったが、一命をとりとめる。彼は後の終戦時に首相を拝命するが、この時も し殺されていたら日本の運命はど

鈴木貫太郎

うなっていたことか。

牧野伸顕前内大臣の湯河原の別邸には河野寿大尉（所沢航空隊）が兵らと全員八名で軽機・小銃各二、拳銃五などを携えて襲った。警備の警官がピストルで応戦し、河野や下士官一人が負傷するなどして混乱。牧野はあやうく難を逃れた。先の「五・一五事件」でも無事だったから、よほどの強運と言えよう。

そして、治安の要の警視庁は野中四郎大尉の率いる歩兵第三連隊の兵四百名が重機六ないし八挺、軽機十数挺、小銃数百挺という圧倒的武力で占拠。外部との通信が遮断され、警察機能は一時マヒ状態に陥る。在京の主要新聞社も襲われ、朝日新聞社は活字ケースをひっくり返されて夕刊発行を見合わせた。朝九時ごろまでに所期の目的を一応達した反乱部隊は国会議事堂や霞が関の主要官庁街をほぼ占拠。二十九日の鎮圧の日まで四日間、日本の心臓部は彼ら叛徒（はんと）に抑えられ、正しく日本の歴史始まって以来の異変となる。

陸軍省は二十六日夜、「一部将校等は左記個所を襲撃せり」と事件のあらましを記した後、次のように発表した。

――これ等将校の蹶起（けっき）せる目的は、趣意書によれば、内外重大危急の際、元老、重臣、財閥、官僚、政党等の国体破壊の元凶を芟除（さんじょ）（取り除く意）し、以って大義を正し、国体を擁護開顕せんとするにあり。

反乱を反乱と断定できず、陸軍省がまるで反乱軍の宣伝に一役買っているかのようだ。

この非常時に際し、陸軍中枢がいかにうろたえていたかをよく示している。

第三節　軍による政治への干渉強まる

事件発生後、陸軍軍事参議官の荒木貞夫・真崎甚三郎・阿部信行ら七人の陸軍大将が宮中に参集。「諸子の行動は国体顕現の至情にもとづくものと認む」と決起を是認するかのような「陸軍大臣告示」を出した。

事件当日朝、陸相官邸表門に着いた真崎大将は反乱軍の磯部浅一元陸軍一等主計（元大尉相当、昭和九年に発生した「陸軍士官学校事件」で免官）らから

——閣下、統帥権干犯の賊類を討つために蹶起（けっき）しました。状況をご存知でありますか？

と問われ、

――とうとうやったか。お前たちの心はよう分かっとる。

と答えている。翌日には、民間右翼の北一輝と西田税から反乱軍に対し、「真崎を首領に担げ」という趣旨の激励電話が入る一幕もあった。

この事件に際し、陸軍首脳がいかに無為無能であったかは驚くばかりだ。うろたえる余り、決起部隊を戒厳部隊に編入し、反乱軍ではなく正規軍として扱おうとする動きすらあった。これに対し、国軍の統帥という観点から反乱軍の鎮定を命じたのは昭和天皇である。

天皇は二十六日から二十七日にかけて二〜三十分ごとに本庄繁侍従武官長（陸軍大将）を呼んで鎮圧を督促。参謀本部次長・杉山元陸軍中将には二十七日早朝、

――朕が最も信頼せる老臣を悉く倒すは真綿にて朕が首を締むるに等しい行為である。朕自らが近衛師団を率いて鎮定に当たらん。

と伝えた、と言われる（『本庄繁手記』）。

天皇の激怒には訳がある。瀕死の重傷を負った鈴木貫太郎侍従長の夫人たかが医者の手配を依頼するため宮中へすぐ電話。このため、天皇は事件勃発直後に事態を察知することができた。たかは天皇が子供のころ乳母を務め、夫の貫太郎は昭和の初めからずっと宮中

で近侍し、いわば母代わり・父代わりの大事な存在だったのだ。

二十六日夜に戒厳令施行が決定し、緊急勅令で香椎浩平陸軍中将が戒厳司令官に決まる。二十八日早朝には戒厳司令官に反乱部隊の原隊復帰を命ずる奉直命令が出た。背くと勅命に抗した逆賊扱いとなるから、これで青年将校らの運命は決まった。

同日夜には戦車が反乱軍を包囲し、飛行機が帰順勧告のビラをまき、包囲軍二万四千が戦闘準備に入る。一方、反乱軍の兵隊に向け「今カラデモ遅クナイカラ原隊ニ帰レ」とビラや放送で帰順を呼びかけた。翌日、将校も兵も続々投降し始め、ついに一発の弾丸も撃たれないまま事態は収拾される。

事件の重大さや昭和維新の旗印に比べ、決起グループのクーデター計画は中身が乏しかった。首謀者の一人、磯部浅一は獄中で「動かした兵力の使用計画がなかった」と嘆いたと言われるが、彼らにはクーデターの綿密な実行計画も、成功後の新国家建設のプランもなかった。天皇親政を掲げる彼らにとって、成功後の青写真を具体的に描くことは天皇の大権を侵すことになり、タブーだったのである。自縄自縛のそんな彼らが当の天皇の鶴の一声で討伐される運命に陥ったのは正に皮肉としか言いようがない。

緊急勅令による特設軍法会議が翌月四日に開かれ、一審制、弁護人なし、非公開という乱暴な裁判が進行。被告にはほとんで発言の機会が与えられぬ暗黒裁判のまま七月に判決が確定する。香田・安藤・栗原・中橋・坂井・村中・磯部ら十七名に死刑が言い渡され、一週間後には執行された。翌月には事件に直接タッチしていない民間人の北一輝・西田税にも、背後で画策したかどで死刑の判決が下る。陸軍省側には二人を首魁に仕立て、事件の範囲を限ろうとする思惑があった。真崎も裁判にかけられたが、結局は無罪となる。

皇道派に近い荒木・真崎の両大将は一時は反乱軍の指導者気取りでいながら、形勢悪しと見るとすぐ神妙になるダラ幹ぶり。他の将軍連も確たる信念を欠き徒に右往左往するばかりだった。そうした醜態がたたり、荒木・真崎ら七人の大将は事件後に一挙に予備役編入へ追い込まれる。

だが、この「粛軍」人事は皇道派だけに止まり、統制派を中心とする陸軍首脳はテロを逆用して軍国主義政権の樹立を企みだす。事件後に成立した広田弘毅内閣の組閣方針に陸相候補の寺内寿一大将は公然と横槍を入れた。外相候補・吉田茂（後の首相）は暗殺リストに載った牧野伸顕の女婿だからいかん、法相候補・小原直は天皇機関説の美濃部達吉博士を起訴猶予にしたから失格、拓相候補・下村宏は自由主義的な『朝日新聞』副社長だから駄目、といった案配。内閣制度が始まって以来の未曽有の軍による組閣への大干渉で、広田は恫喝（どうかつ）に屈し閣僚候補は次々とすげ替えられていった。

広田内閣発足後の衆議院で政友会代議士・浜田国松が軍部の独裁化傾向を非難する演説をおこなうと、寺内は軍を侮辱するものだと反論して浜田との間で「腹切り問答」が交わされる。寺内は政党懲罰のため議会の解散を要求し、閣内不統一から広田内閣は総辞職を余儀なくされた。テロによる恫喝を武器に、軍部はこれまで以上に政治に大っぴらに口出しをし、国民を引きずって戦争体制へひたすら突き進んでいく。

第十一章　日中戦争と国際的孤立

第一節　満州国承認と日本の国際連盟脱退

「五・一五事件」で犬養毅首相が殺害されてから四ヵ月後の一九三二（昭和七）年九月、後任の斎藤実首相（元海軍大将）は満州国承認に踏み切る。犬養前首相は満州国承認が中国の領土保全を約束する九か国条約に違反し、日本の国際的孤立を招くと考え、承認に不賛成だった。彼が陸・海少壮軍人のテロリストに襲われた一因はこの点にある。

前年の三一年に関東軍が謀略的に満州事変を起こし、半年で満州全域をほぼ制圧して傀儡（かいらい）政権樹立を画策する。翌三二年三月、清朝最後の皇帝・溥儀（ふぎ）を執政（翌々年に皇帝に就任）に担ぎ長春を首都とし、五族（漢・満・蒙・蔵・回）協和と王道楽土建設を謳う満州国の発足を宣言した。だが実情は、日満議定書により満州国は日本が満蒙に持つ既得権益の全てを承認し、日本の駐兵権の全国への拡大を認め、鉄道の全てを満鉄の経営に委託。事実上、国防・交通は完全に日本が掌握し、内政の実験も日本人が握っていた。

満州国承認へ動いた斎藤内閣は満鉄総裁・内田康哉（やすや）を外相に任命。内田は満鉄のころ関東軍に説得され、承認論者になっていた。日満議定書の調印に先立ち、内田外相は、

――この問題のためには、いわゆる挙国一致、国土を焦土としても、この主張に徹することにおいては、一歩も譲らない。

と、衆院の演説で大見得を切った。世に言う「焦土外交」の表明だが、満州国承認は日本を焦土と化す行程への正しく第一歩となる。

日満議定書の調印直後の三二年十月、国際連盟が満州問題を調査するため派遣したリットン調査団の報告書が公表される。調査団は英国のリットン卿（連盟の元英国代表）を団長に仏・独・伊・米の軍人や外交官らで構成され、半年ほどをかけて日本や中国各地と満

州で事実関係や実情の調査に当たった。

報告書は十章から成る詳細なもので、中国・満州の事情から日中間の紛争の原因に至るまで細かく考察。一方では日本の満州での利益の尊重を謳い、経済上・国防上の必要から満州を確保したいとする日本の要求を一応の理由あるものとした。しかし他方、満州国の成立は認めず、中国の一部として強い自治権を持たせ、事実上国際管理の下に置くと認定。満州の治安維持や中国の改造への国際的協力を強め、日本の要求は日中間の経済的提携の促進によって解決されるべき、と提言。日本の主張とは相容れない内容となっていた。

松岡洋右

リットン報告を受けた国際連盟は同年十二月から満州問題の審議を再開。日本代表の松岡洋右（まつおかようすけ）はジュネーブに着くなり、

――日本は満州国承認と矛盾するいかなる案も呑む気はないし、日本の威信にかかわる時は連盟を脱退する。

と早々と宣言する。松岡は外交官出身で満鉄副総裁を務め、当時は政友会所属の衆院議員。苦学して米国オレゴン州立大に学んだ異色の経歴の持ち主だが、熱弁をふるう己の能力を過信し、英雄気取りで独り合点する嫌いがあった。

イギリスをはじめ各国は日本をなだめようと八方手を尽くす。紛争解決案の作成に当たった委員会は、リットン報告を基に、満州の状態を事変以前に戻すことはできないが、現制度を承認するものではないという決議案をつくる。これは日本にすぐ満州国の承認取り消しを求めるものではなく、この問題に対する連盟の意思表示を漠然とする趣旨のものだ、という説明がなされた。

が、日本は一切の妥協に応じぬ頑なな態度で押し通す。閣議は翌年二月、連盟脱退の方針を決定。連盟の総会で上記の委員会案が賛成四十二、反対一（日本）、棄権一（タイ）で採択されると、松岡らはただちに退場し、連盟脱退を正式に通告した。

この半年余り後にドイツが、三年後にはイタリアが、それぞれ連盟を脱退する。日本は連盟を弱め、世界平和に大きなひびを入れた元凶の筆頭視され、国際的地位は決定的に悪化する。日本は世界で最も侵略的なならず者国家として鼻つまみになり、孤立化していく。日本商品がソーシャル・ダンピングの烙印（らくいん）を押され世界中から排斥されだすのは、日本のこうした悪いイメージとも関わっていた。

日独が国際連盟を脱退した明くる年の一九三四年、ソ連が連盟に加入して常任理事国となる。米国は連盟には入らなかったが、ソ連とは緊密に連絡を取り合い、日独が連盟を脱退するとただちにソ連を国家として十六年ぶりに正式承認した。こうして日本の連盟脱退を機に、第二次世界大戦における両陣営のブロック化が進んでいく。

第二節　新聞報道の変質～戦争協力へ

日本の国際連盟脱退より三ヵ月ほど早い一九三二（昭和七）年十二月、国内の新聞連盟加盟百三十二社が満州国の存立をめぐり、次のような「共同宣言」を出している。

――満州の安定は極東の平和のために必要であり、満州国の独立と健全な発達が最善、唯一の道である。日本が満州国を作ったのは当然であり、世界はこれを認める義務がある。国際連盟の国々には、それが良く理解できない国がある。日本代表は満州国の存立を危うくするような解決策は受諾してはならない。これを日本言論機関の名において声明する。

マスコミ各社が名を連ねるこの「宣言」は、国際連盟で満州問題が討議されている最中に出された。満州国の成立に反対の態度を示す国際連盟に対する挑戦状とも言うべき強硬な内容である。それは日本のみの言い分を連ねた極めて手前勝手な内容であり、軍部そこのけの夜郎自大なしろものだった。日本の全権・松岡洋右に連盟脱退の道を選ばせる一つのインパクトを与え、日本の国際的孤立を導く重要な契機となったのは間違いない。

新聞は満州事変が起こる前年の一九三〇年ごろまではリベラルな主張を掲げ、朝日新聞などは軍備縮小を唱える急先鋒を務めた。しかし、明くる年の柳条湖事件〜満州事変勃発を機に、新聞の論調は急転回する。朝日は九月十九日の第一報で「奉軍満鉄線爆破、日支両軍戦端を開く」と大見出しで報道。両国が交戦状態に入った原因は支那側の奉天軍が満鉄線を爆破したため、と伝えた。翌二十日の夕刊コラムでは、

——わが正義の一撃は早くも奉天城の占領を伝ふ。日本軍の強くて正しいことを徹底的

に知らしめよ。

と強硬路線を主張した。

毎日新聞は九月二十七日、同様に「あくまで支那の非違を責め、支那の反省改悟するまで、その手をゆるめるべきではない」と主張。読売新聞は翌二十八日、「満州事変への手引き、わが生命線を死守せよ」と大見出しを掲げ、「忍苦数十年のわが既得権益、擁護するに何の不条理がある!!」と続けている。

こうして朝日・毎日・読売が関東軍の独断専行を支持する形となったことが、その後の関東軍の動向に影響を与えないはずはない。結果的には、新聞が軍を煽(あお)ったという構図が見てとれる。

勝ち戦の高みの見物なら大衆は戦争話をスポーツ並みに面白がり、戦争報道は新聞を売る格好の道具になる。満州事変の本格的報道は翌十月から始まるが、それから約半年で朝日も毎日も臨時費約百万円を使った、と言われる。朝日新聞の発表では、飛行機が八機参加し航空回数百八十九回、自社製作映画の公開は約千五百か所で観衆が延べ約一千万人、号外発行度数は百三十一回。毎日も対抗して大宣伝に大宣伝を重ねた。当時、社内では半ば自嘲気味に「毎日新聞後援・関東軍主催の満州戦争」と囁(ささや)かれた、という。

新聞がどんどん煽り、日本中に戦争気分が浸透し、民衆の間に慰問袋ブームが湧く。各新聞が慰問袋を送ったり寄付をした人の名前を連日のように伝えた。新聞による過剰なまでの戦争報道により、人々の間には「前線の兵隊のために尽くしたい」という機運が生じていた。巷では軍歌がしきりに歌われ、子供たちの間に「戦争ごっこ」が流行り、日本人の暮らしに軍国体制がすっかりなじんでいく。

大正デモクラシーを支え、軍縮を唱えて軍部と真っ向から闘った言論機関のかつての姿はもはや見る影もない。売らんかなが至上命令の商業新聞が馬脚を表したと言えばそれまでだが、この時代における新聞報道の変質ぶりはとてつもなく罪が重い。

第三節　中国蔑視で戦火拡大へ

日本が国際連盟を脱退してから四年後の一九三七（昭和一二）年七月七日夜半。北京近郊の盧溝橋で日本の天津駐屯軍の一部と中国軍との間で偶発的な衝突があり、それを機に宣戦布告もないままずるずる兵火が拡大していく。上海を中心に激しい戦闘が交わされ、中国軍の兵力は強力で寡兵の日本軍は苦戦を強いられる。上海にも北京にも日本の居留民は沢山いたから、その保護は日本政府にとって必須の命題となる。四日後には時の首相・近衛文麿が朝鮮と満州から二個師団、さらに内地から三個師団を派遣する決定を下す。

その昔の日清戦争や日露戦争に勝利して以来、日本の軍部には中国を見下しバカ扱いする基本姿勢があった。前年の「二・二六事件」で統制派が天下を取った陸軍では、中国は膺懲するに限るという「対中国一撃論」が優勢で、近衛はこの一撃論に乗っかり、

――今次事件は全く支那側の計画的武力抗日なること、もはや疑いの余地なし。

と断言する。事態は拡大の一途をたどり、大軍を送り込んだ上海で勝利すると、中国軍は当時の首都・南京へ後退。北部では中国共産軍と日本軍が戦う全面戦争化し、日本軍は首都を陥せば勝利確定とばかり南京へ進撃して悪名高いかの「南京事件」を引き起こす。旧日本陸軍の集まりである偕行社が出版した「南京戦史」（平成元年刊）は中国側の公式記録なども加味し、

――中国軍捕虜・便衣隊などへの撃滅・処断による死者約一万六千人。一般市民の死者

蔣介石（提供：朝日新聞社）

約一万五千七百六十人。

と記す。様々な事情が重なる大混乱の中で起きた非行であり、中国が主張する「三十万人」は有りえない数字にせよ、日本人の一人として中国国民に心からお詫びしたい。

南京を脱出した中国の国民政府・蔣介石総統は漢口へ首都を移して戦い、形勢が悪いと見ると更に奥地の重慶に遷都して抗戦を続けた。また、北方の延安に本拠を置く紅軍（共産党軍）は徹底したゲリラ戦術で日本軍を苦しめ、日中戦争は泥沼化の一途をたどる。

日本の大きな過ちは、盧溝橋事件が発生する前年の一九三六（昭和一一）年に起こった国共合作の重大性を見落としたところにある。紅軍のリーダー毛沢東や周恩来らは、——国が亡びるかどうかの瀬戸際であり、国共内戦を継続して徒に日本を利するのはまずい。今は国府軍と手を握り、共に日本軍と戦う時だ。

と方針を転換。満州の大軍閥出身で国府軍の一統領の張学良をまず説きつけ、紅軍との戦いを控えさせる。様子がおかしいと張学良の本拠・西安へ督戦に出かけた蒋介石を張学良が軟禁。助命と引き換えに紅軍と手を組むことを約束させる。方針転換を決めた蒋介石が南京に戻ると、中国民衆は熱狂的に歓呼して出迎えた。この「西安事件」は対日抗戦を可能にする歴史の大転換点だったが、日本側は対岸の火災視し、その重大な意義を全く理解できなかった。日本の軍部の宿弊である中国蔑視が命取りになった、と言うほかない。

周恩来

　陸軍部内は最初から事変拡大一色だったわけではなく、参謀本部作戦部長・石原莞爾少将らは拡大に反対した。石原は中国と戦えば持久戦になるのは必至で、宿敵・ソ連との戦闘準備が整うまでは中国とは戦うべきではない、と主張した。対ソ戦準備には五年以内に日本の重化学工業力を二倍以上に向上させねばならず、六億の民族全体を相手に大消耗戦となる日中戦争は不可、という論旨である。だが、事変拡大派の参謀本部作戦課長・武藤章（むとうあきら）大佐らから「あなたがかつて満州事変でやったことを、今オレたちは中国でやろうとしてるだけ」と反論され、言葉を失う。石原ら不拡大派はやがて軍中央から左遷され、陸軍部内は強硬派一色に染まっていく。

ドイツ通の石原が一端に関わった対中和平策に「トラウトマン工作」がある。南京陥落前後の三七年十月、近衛内閣はドイツの調停斡旋による事変の解決をもくろみ、「内蒙古に自治政府を樹立」「満州国国境から天津〜北平間に非武装地帯を設ける」「上海の非武装地帯を拡大する」などの条件を提示。駐日ドイツ大使ディルクゼンから工作を依頼されたトラウトマン駐華大使より同年十二月、

——中国側は日本側の条件で交渉に応ずる用意がある。

と回答があった。広田弘毅外相から打診された陸・海両大臣はいったんは賛成の意を表明。ところが、南京陥落が目前の戦況から陸軍が和平条件の釣り上げをもくろみ、翌日に態度を一変。さらに、肝心の近衛首相までが軍顔負けの強硬さで「我々は勝ったのだか

ら、賠償を寄こせ」と言い出すありさま。せっかくの和平工作があたら頓挫してしまう。当時の関係者の証言によると、近衛は優柔不断で定見がなく、日華事変解決への決断を何一つ行っていない。政治的窮地に陥るとすぐ職を辞して逃げをうつ癖もあり、昭和天皇は側近に「近衛は弱いね」と漏らしていた、と言われる。が、その天皇はどう振る舞ったのか。

現今の象徴天皇制とは違い、明治憲法下の昭和天皇は軍の最高統帥者たる「陸海軍大元帥」の身である。であればこそ、「二・二六事件」のあの騒乱も鶴の一声でぴしゃりと治まった。昭和天皇は一九七五年に訪米した際に第二次大戦に触れて、英語の訳文では「I deeply deplore（遺憾・悔いる）」と発言。謝罪の意を込めたとも受け取られたが、帰国後の記者会見で真意を問われ、「そういう言葉のアヤについては（中略）お答えできかねます」とあいまいだった。後日、読売新聞の「歌壇」にこんな一首が載る。

——戦争責任は言葉の綾と言い棄つる天皇に献げし身は口惜しかり

第十二章　三国同盟と対米関係の破局

第一節 「バスに乗り遅れるな」と日・独・伊三国同盟へ

日本とドイツが共に国際連盟を脱退してから三年後の一九三六（昭和一一）年、ベルリンで日独防共協定が調印される。事前に政府から同意を求められた駐英大使・吉田茂（後に首相）は「枢軸側（独・伊）が戦争を起こした場合、日本は英・米と戦うことになる」として反対した。翌三七年七月に日中戦争が始まり、十一月にはイタリアが防共協定に参

近衛文麿

加。翌々三九年九月、ドイツ軍がポーランドに侵入し、第二次世界大戦が始まる。

四〇年四月から五月にかけて、ドイツ軍はノルウェー・デンマーク・オランダ・ベルギーへ電撃的に侵攻し、フランスにも攻め入る。六月十四日、パリ陥落。イギリスもロンドン空襲を受け、風前の灯とさえ映った。国際的ジャーナリストとして知られる松本重治（しげはる）（戦後に文化功労者）は著書『近衛時代』にこう記す。

――ドイツは強い、フランス・イギリスは弱い、というのが陸・海軍に止まらず、大方の日本人の考え方になってしまった。

陸軍の支持が厚い時の近衛文麿首相は反英米感情が強く、独伊との関係を単なる政治協定ではなく軍事同盟化しようと図る。外相・松岡洋右は日本が国際連盟を脱退した時の立

役者であり、唯我独尊の自信家で強硬な反英米派だった。松岡は
——日本は米国の世界戦略に引き回されている。米国と対等に外交を展開するためには日独伊三国同盟はもちろんソ連を加えた「日独伊ソ」の四国枢軸で協定し、日本の国際的地位を上げねばならない。独ソ不可侵条約が結ばれている今こそ、そのチャンスだ。
と明言。「日独伊ソ」の四国で臨めば英米と対等に渡り合える、と踏んでいた。

前年五月にノモンハン事件が突発し、七月には日ソ両軍の大規模戦闘に発展して、日本は苦杯をなめつつあった。そんな最中の八月、モスクワで独ソ不可侵条約が調印される。ソ連を仮想敵国と見ればこそのドイツとの防共協定だったのに、当のドイツは敵のはずのソ連と手を結んだ。日本にとっては青天の霹靂（へきれき）であり、当時の平沼騏一郎（きいちろう）首相は「欧州の天地は複雑怪奇」と迷せりふを残して総辞職する。国際情報の収集能力をよほど欠いていた報いだろう。

近衛政権の直前の米内光政（元海軍大将）内閣はヨーロッパの戦争には関与しない方針を採り、独伊との提携に反対だった。このため、陸軍は策を弄して内閣打倒へ動き、第二次近衛内閣が成立した経緯がある。

ドイツにこれほど手酷く裏切られながら、四〇年五月からの「西部大攻勢」でフランス

フランクリン・ルーズベルト大統領

を打倒し、イギリスをダンケルクまで追い詰めると、日本は再びドイツを軽信する。「今こそ三国同盟を」の機運が高まり、「バスに乗り遅れるな」という合言葉が飛び交った。短期的な戦況を長期的な世界情勢だと錯覚する歴史的視野の狭さを露呈し、情緒的な国策決定に走る致命的欠陥を示す。

同年九月、ベルリンで日独伊三国同盟が調印される。当時の日本は三年余にわたる日中戦争の泥沼にはまり、解決できないのは英米が蒋介石政権を背後で支援しているせい、と捉えていた。強いドイツと同盟すれば英米を牽制（けんせい）できると踏み、いわば軽い脅しくらいのつもりで独伊と同盟を結んだ節がある。

アメリカのルーズベルト大統領は形勢不利のイギリスを救うため早く参戦してドイツを

叩きたかったが、アメリカの世論は欧州に対しては徹底して参戦反対だった。三国同盟を結んだ日本こそ格好の標的であり、外交面で日本を追い詰めて戦争に持ち込めば、ドイツと戦いを開く名分ができる。日本の最大の過ちは、そうしたアメリカの戦意を見誤っていた点にある、と言っていい。

それにしても、同盟相手にナチス・ドイツを選ぶとは信じがたい。史上稀な暴虐極まる独裁者ヒトラーの下で人権蹂躙（じゅうりん）や人種差別はやりたい放題。「ホロコースト」のユダヤ人大虐殺をおこなった犯罪国家である。ナチスと手を組んだばかりに、軍国日本もまた極悪のならず者国家とレッテルを張られる。

私は朝日新聞社会部記者当時の四十年ほど前、敗戦時に海軍省軍務局長を務めた保科善四郎氏（元海軍中将、戦後に衆議院議員四期）と差しで二時間ほど面談している。旧海軍切ってのアメリカ通と言われた氏はこう述懐した。

――米内光政元首相（海軍大将）や野村吉三郎元外相（同）に山本五十六元連合艦隊司令長官（元帥）と海軍の主流はみんな親英米派で、対米開戦には反対だった。しかし、視野の狭い陸軍側が欧州戦線でのナチス・ドイツの圧倒的な勢いに目が眩（くら）んで開戦を決意し、海軍側も引きずられて追従した。その浅慮が返す返すも悔やまれる。

海軍省軍務局長当時の終戦工作をめぐる折衝で、米側から「巡洋艦を旗艦とする総トン数十五万トン以内の日本海軍の存続を認める、との米側の意向表示も実はあった。しかし、ソ連の強硬な反対でご破算になった」という秘話をその時、耳にしたのも忘れられない。

第二節　「国家総動員」体制で戦争を至上命令に

日中戦争さなかの一九三八（昭和一三）年四月、近衛内閣は「国家総動員法」を公布した。一月に近衛が「爾後(じご)国民政府を対手(あいて)とせず」と声明して和平交渉の道を自ら閉ざし、事変は長期化しそうな見通しが強かった。同法は第一条に「国家総動員」の定義をこう謳(うた)う。

——本法ニ於テ国家総動員トハ戦時（戦争ニ準ズベキ事変ノ場合ヲ含ム以下略）ニ際シ国防目的達成ノ為国ノ全力ヲ最モ有効ニ発揮セシムル様人的及物的資源ヲ運用スルヲ謂

フ。

戦時に国家が必要とすれば、物資・生産・金融から会社経理・物価・労働など経済のあらゆる分野で政府の命令一つで強制的に統制措置が可能になり、さらに言論の統制や労働争議の禁止さえできる、という内容だ。五十条から成るこの法律は、運用次第では明治憲法でさえ認めていた法治主義の原則を無視し、議会を骨抜きにして政府に独裁権限を与えかねない危険なものだった。

戦争を至上命令にし、経済は軍事一色になる。日華事変が勃発した三七年に二十億円だった軍事費は翌年に四十八億円、三年後には五十七億円と急膨張した。国家財政の歳出に占める軍事費の割合は三七年に三〇％弱だったのが、四〇年には五〇％超にまではね上がる。政府は軍事支出の増大を日銀による「赤字公債」発行でまかない、通貨の膨張は激しいインフレを呼び、その被害をもろに受ける一般国民は厳しい生活苦に直面した。

総動員体制下で軍需産業はわが世の春を謳歌（おうか）。日銀信用を背にした巨額の軍事支出は軍需産業の重要な担い手である財閥やその他の独占的大資本に膨大な利潤を保証する。三井・三菱・住友などの既成財閥は軍需に直結する重化学工業部門への進出を一斉に開始。兵器製造と関係が深い機械工業の発達はめざましく、造船・自動車・航空機などの製造分野で躍進が目立った。造船業では例えば三菱重工業が巨大戦艦「武蔵」を起工し、航空機でも同じく三菱重工業が花形戦闘機「ゼロ戦」の試作に成功。自動車工業では日産・三菱重工業・トヨタなどが急速な設備強化を進めた。

戦争はまた食糧危機を生み、農業を荒廃させる。農業生産の衰退〜食糧供給の減少をもたらした原因の一つは労働力の欠乏で、もう一つは肥料や農機具など生産財の不足。召集により農村の働き手の多くが戦場へ狩り出された。日本の兵隊数は三七年末に陸軍だけで百万人近くに達し、その半数以上が農村出身だった。人力に頼るほかない日本の農業が働き盛りの青壮年を引き抜かれて衰退化しないわけがない。軍需産業の職工徴用によっても女子を含めた農村からの労働力流出が見られ、農業の先細りに拍車をかけた。

戦争・軍需産業に動員される人員は増加の一途をたどるが、労働力不足は一向に解消せず、政府は遂に三九年、「国家総動員法」による労務動員に踏み切る。利用できる者は小学校卒業生・女子労働者から移入朝鮮人労働者に至るまで、ありとあらゆる労働力の動員が計画された。「滅私奉公」というスローガンの下に過酷で非人間的な労働が強要され、多くの若手労働者が健康を害し「工場結核」によって帰郷する者がどんどん増えた。

三六（昭和一一）年に内務省はメーデー禁止を通達し、二〇（大正九）年以来十六回にわたり続けられてきたメーデーは以後戦争が終わるまで姿を消す。厳しい弾圧・統制の下で労働運動は後退の一途をたどり、四〇年にはほとんど姿をひそめる。すでに三七年秋には「国民精神総動員運動」がスタートしていた。「贅沢(ぜいたく)は敵だ」と謳(うた)い、パーマネントは電力の無駄遣いだと敵呼ばわりされ、国民服やもんぺ姿が流行し、「日の丸弁当」がもてた。新聞報道に対する統制も強化され、用紙割り当てという形の圧力が新聞社の死命を制する。政府・軍部の気に入らない新聞・雑誌は用紙の供給を止められ、廃刊の憂き目に遭った。新聞は圧力を避けるため、「自主規制」の名の下に戦争体制へ積極的に協力していく。

第三節　自滅覚悟で太平洋戦争に突入

日独伊の三国同盟締結はアメリカを反発させ、太平洋艦隊の強化や極東在住アメリカ人への引き揚げ勧告を呼び、日米関係の緊迫化を生んだ。それでも締結の翌年早々に着任した野村吉三郎駐米大使（元外相・元海軍大将）とハル国務長官との折衝により、四一年四月に次のような日米了解案がまとまる。

――日華間の協定による日本軍の中国撤退と中国の満州国承認、蔣介石政権と汪兆銘政権の合流。

――領土の非併合、非賠償を条件としてルーズベルト米国大統領が斡旋(あっせん)に乗り出し、日本の南方資源獲得に米国が支持と協力を与える。

――以上が承認されれば、ホノルルで近衛・ルーズベルト会談を開く。

ハル長官は交渉の前提として、「全ての国家の領土保全と主権の尊重」「内政不干渉」「通商機会均等を含む平等原則」「平和的手段によって変更される場合を除き太平洋の現状を攪乱(かくらん)しないこと」という「ハル四原則」を提示。これまでの個人間の非公式折衝を外交的ルートに乗せてもいい、と述べたとされる。

野村大使から報告を受けた日本側は半信半疑ながら、軍部も米国との衝突を避けるため交渉を進めようと考える。近衛も了解案成立を喜び、交渉推進に乗り気になった。だが、直前にモスクワで日ソ中立条約に調印して帰国したばかりの松岡外相の態度は違った。自分がまとめた三国同盟を基にアメリカに毅然(きぜん)とした態度を示し、それによって参戦を阻止する、という己の構想にそぐわぬ融和的な内容だったからだ。彼は了解案を大幅に修正し、日華和平条件は全て削り、南方の資源獲得のため武力に訴えないという条項も削除する。

翌月、ルーズベルト大統領は炉辺談話を発表し、国家非常事態を宣言。欧州でのドイツ軍の活動を対米侵略の準備と決めつける。アメリカはすでにイギリスに対する武器援助をおこなっていたが、輸送船の護衛問題でドイツとの関係はきわめて緊迫していた。

コーデル・ハル国務長官（提供：朝日新聞社）

ハルは松岡修正案に失望して公式対案を提出するが、その口上書に

——日本にナチス・ドイツとその征服政策を支持している指導者がいては、交渉は実質的な成果を収めることはできない。

と付記。松岡が激怒して口上書を突き返す一幕もあり、ハル長官との対立は抜き差しならぬまでに激化する。悔やまれるのは近衛首相のリーダーシップの欠如だ。対米交渉を松岡に一任せず、なぜこの重大な時期に直接自身が乗り出さなかったのか。機会は二度とは巡って来ず、対米関係は以後悪化の一途をたどり、ついに決定的な破局を迎える。

諜報活動で優位に立つアメリカは日本の外交電報を全て解読しており、日本は手の内を読まれるままに交渉を継続。同年一一月二六日、「ハル・ノート」が手交される。「中国及び仏印より日本軍及び警察の全面撤退」「日華近接特殊緊密関係の放棄」「三国同盟の死文化」「中国における重慶政権以外の一切の政権の否認」を要求する最後通牒に等しい内容だ。日本は進退窮まり、翌月八日に自滅覚悟で太平洋戦争に突入する。その日、日本が頼みとするドイツ軍は、モスクワを目前に猛吹雪の中で後退を開始していた。

この「ハル・ノート」の一件だけを持ち出し、日本はアメリカの挑発によって戦争に誘い込まれたのだ、と説く向きがある。だが、それは樹を見て森を見ない類、と私は考える。日本はアジアのガキ大将然と中国に勝手に攻め入り、弱い者いじめをし続け、米英の世論を敵に回す。おまけに、ドイツとイタリアという好戦的なファッショ国家と同盟を結び、世界平和に脅威をもたらした。情けない話だが、いわば自業自得の決着と言うほかない。

ジャーナリストの故むのたけじさん（武野武治　一九一五～二〇一六）は朝日新聞記者として中国～東南アジア特派員を経験。一九四五年八月十五日の敗戦当日に自身の戦争報道の責任を感じて退社する。郷里の秋田県横手市で週刊新聞『たいまつ』を創刊し、主幹として三十年間健筆をふるう。以後も亡くなる間際まで著述や講演活動を重ねて「戦争絶滅」「世界平和実現」を訴え続けた。二〇一五年に著した遺著『日本で100年、生きてきて』（朝日新書）に、むのさんはこう記している。

――ドイツは歴史に学ぶ能力を持っていたから、戦争犯罪すべてをドイツ国民みんなの責任として詫びた。日本は戦後処理を誤り、今なお近隣諸国との間に軋轢を続けている。

そして、若い世代に「平和構築」の大切さを呼びかけた。

「夜郎自大の三十年」関連年表

1875（明治8）年　水野広徳　松山市で出生：第二・三章参照
1879（同12）年　桜井忠温　同上：同上
1884（同27）年　日清戦争勃発
1885（同28）年　日清戦争講和
1904（同37）年　日露戦争勃発　水野海軍大尉・桜井陸軍中尉、出征：同上
1905（同38）年9月　日露戦争講和
11月　「韓国保護条約」調印：第七章参照
1906（同39）年　桜井の戦記『肉弾』発売〜ベストセラーに：第二・三章参照
1910（同43）年　日本、韓国を併合：第七章参照
1911（同44）年　「大逆事件」のかどで幸徳秋水・菅野スガ・大石誠之助ら十二人に死刑判決：第六章参照
水野の戦記『此一戦』発売〜ベストセラーに：第二・第三章参照
1913（大正2）年　山本権兵衛（元海軍大将）政友会内閣が成立：第五章参照
1914（同3）年1月　シーメンス（海軍がらみの巨額汚職）事件が明るみに：同上

7月　第一次世界大戦始まる（18年11月終結）。日本は日英同盟を発動して対独参戦。ドイツの勢力下にあった山東省青島と南洋諸島を易々と占領、漁夫の利を占める：第七章参照

1915（大正4）年1月　中国に二一カ条の要求（旅順・大連の租借期限の延長など）：同上

5月9日　中国、二一カ条要求を受諾。この日を「国恥記念日」と呼ぶ：同上

1916（同　5）年1月　吉野作造（東大教授・政治学）が『中央公論』誌上で民本主義を主張：第四章参照

9月　河上肇（京大教授・経済学）が「大阪朝日」に『貧乏物語』連載開始：同上

10月　寺内正毅（元陸軍元帥、ビリケン：非立憲）内閣発足：同上

1918（同　7）年8月　富山県の漁師まち西水橋町で米騒動勃発（3日）：第四章参照

寺内内閣は米騒動関連記事の掲載禁止を全国の新聞に通告（14日）：同上

「白虹事件」（朝日新聞の筆禍）起きる（25日）：同上

1920（同　9）年　国策会社「南満州鉄道」にからむ疑獄「満鉄事件」が明るみに：第五章参照

1921（同　10）年10月　首相・原敬が東京駅で18歳の鉄道駅員に刺殺される。犯行の動機は疑獄事件を生んだことへの反感と見られた：同上

1925（同　14）年3月　田中義一政友会総裁（元陸軍大将）の公金横領～機密費事件を各新聞が報道：同上

10月　前記事件担当の石田基検事が変死：同上

1927（昭和2）年3月　金融恐慌始まる～中小銀行の経営不振による連鎖倒産が発生：第九章参照

4月　神戸の鈴木商店が放漫経営から破産～縁の深い台湾銀行まで破綻に瀕する金融恐慌へ：同上

1928（昭和3）年3月　山本宣治衆院議員（旧労農党）を右翼団体員・黒田保久二が短刀で刺殺その十日後、改正直後の治安維持法を発動し、全国の労働団体・農民団体・旧労農党などの事務所を捜索～約千六百人を検挙：第六章参照

1929（昭和4）年10月　ニューヨーク株式市場で大暴落～未曾有の世界恐慌がまき起り、日本にも大不況と深刻な経済不安が襲来する：第九章参照

1930（昭和5）年　金本位制に復帰する「金解禁」と猛烈なドル買い～ちぐはぐな経済政策の失敗により、中小企業の倒産や大企業の生産制限が多発。同年中に八二三社がつぶれ、三一一社が減資した。失業者が増大し、深刻な就職難を招く。さらに東北や北海道は未曾有の凶作に見舞われ、娘たちの悲惨な身売りが相次ぐ：同上

11月14日　浜口雄幸首相が東京駅頭で右翼団体の男に短銃で狙撃されて重傷（翌年8月死去）：同上

1931（昭和6）年9月　満州事変勃発。謀略的に事変を起こし、半年で満州全域をほぼ制圧して傀儡政権樹立を画策。翌32年3月、清朝最後の皇帝・溥儀を執政（翌々年に皇帝に就任）に担ぎ、満州国の発足を宣言する：第八章・第十一章参照
国内では、参謀本部の橋本欣五郎陸軍中佐（極東裁判でのA級戦犯）が「桜会」（中堅将校約五十人）を結成。「三月事件」「十月事件」を画策（いずれ

も未遂）し、後の「五・一五事件」「二・二六事件」の見本となる：第八章参照

1932（昭和7）年2月
前蔵相・井上準之助が東京・本郷の街中で、3月には三井財閥の総帥・団琢磨が日本橋の三井本館玄関先で、それぞれ短銃で射殺される。犯人はいずれも右翼団体「血盟団」に所属する二十歳そこそこの農村青年：同上

5月15日　世に言う「五・一五事件」が勃発。海軍将校らが首相官邸を襲撃し、「話せばわかる」と声をかける犬養を「問答無用。撃て！」と射殺。デモクラシーとファシズムの精神を端的に示すものとして、はやり言葉となった：同上

一方、この年プロレタリア文化運動への圧迫が強まる。詩人・坪井繁治、作家・宮本百合子、評論家・中野重治ら数多の文化人が逮捕され、作家同盟や演劇同盟の機関誌は全て発禁処分に：第六章参照

1933（昭和8）年2月
地下活動中のプロレタリア作家・小林多喜二が街頭で逮捕され、東京・築地署で拷問により死亡、享年29歳：同上

共産党への弾圧も強まり、岩田義道は獄中で拷問により死亡。獄中の佐野学・鍋山貞親が転向声明をし、日本の左翼運動は閉塞へ：同上

同月
国際連盟総会でリットン報告が承認され、日本全権団は退場。翌3月、日本政府は連盟脱退を通告：第十一章参照

8月
鳩山一郎文相が滝川幸辰京大教授（刑法学）の休職を要求～発令し、宮本

法学部長ら38人が辞表を提出する「滝川事件」が起きる：第六章参照

10月　独が国際連盟を脱退

1935（昭和10）年2月　天皇機関説（美濃部達吉）事件起こる：同上

10月　伊、エチオピア侵略を開始

1936（昭和11）年2月26日　陸軍皇道派の青年将校によるクーデター「二・二六事件」が起きる。高橋是清蔵相・斎藤実内相らが殺害され、岡田啓介首相は生き延びたが、内閣は総辞職へ。首謀者の青年将校らと理論的指導者・北一輝は死刑に。事件後、軍の政治への干渉が続き、軍部独裁につながっていく。：第十章参照

12月　蒋介石が西安東方で張学良軍に監禁される（西安事件：国共合作の端緒）：第十一章参照

1937（昭和12）年7月　盧溝橋で日中両軍衝突、日中戦争始まる～近衛文麿内閣が北支派兵を声明、各界に挙国一致の協力を要望：同上

12月　日本軍、南京占領。虐殺事件起こる：同上

1938（昭和13）年4月　近衛内閣が「国家総動員法」公布～戦争を至上命令とし、「滅私奉公」が叫ばれ、経済は軍事一色に。翌年から年少者らまで対象とする労務動員始まる：第十二章参照

1939（昭和14）年5月　ノモンハン事件起こる～7月　日ソ両軍の大規模戦闘に発展（日本軍の劣勢明らか）～9月15日に停戦協定成立：同上

8月　モスクワで独ソ不可侵条約調印：同上
9月　独軍ポーランドに侵入、第二次世界大戦始まる：同上

1940（昭和15）年4月　独軍、ノルウェー・デンマークへ侵攻開始：第十二章参照
6月　パリ陥落　独軍、無血入城：同上
9月23日　日本軍が北部仏印に進駐
　27日　ベルリンで日独伊三国同盟に調印：同上
10月　大政翼賛会がスタート

1941（昭和16）年4月　米国のハル国務長官が「ハル四原則」を提示〜野村駐米大使との間で一旦は一応の了解案まとまる：第十二章参照
4月13日　モスクワで日ソ中立条約に調印
6月22日　独ソ戦始まる
9月6日　御前会議で「帝国国策遂行要領」決定。（10月下旬を目途として対米・英・蘭戦争準備を完了）
11月26日　米国が最後通牒に等しいハル・ノートを手交：同上
12月8日　日本、真珠湾を攻撃。太平洋戦争始まる：同上
同月11日　独・伊　対米宣戦を布告

著者略歴

横田　喬（よこた・たかし）

1935年、富山県生まれ。

東京大学文学部仏文科卒業。元朝日新聞社会部記者。

〈著書〉

『白隠伝』（大法輪閣）、『下町そぞろ歩き』（日貿出版社）、『西東京人物誌』（けやき出版）、『反骨のDNA――時代を映す人物記』（同時代社）

〈共著〉

『新人国記』（全十巻、朝日新聞社）、『山田みどりのロシアありのまま』（ほんの木）

夜郎自大の30年――蘇る言論圧殺の悪夢

2021年1月25日　　初版第1刷発行

著　者　　横田　喬
発行者　　川上　隆
発行所　　株式会社同時代社
〒101-0065　東京都千代田区西神田2-7-6
電話　03(3261)3149　FAX　03(3261)3237
組　版　　いりす
装　幀　　クリエイティブ・コンセプト
題　字　　横田淳子
印　刷　　中央精版印刷株式会社

ISBN978-4-88683-893-3